El sí de las niñas

Letras Hispánicas

Leandro Fernández de Moratín

El sí de las niñas

Edición de Emilio Martínez Mata

QUINTA EDICIÓN

CÁTEDRA

LETRAS HISPÁNICAS

1.ª edición, 2002
5.ª edición, 2007

Ilustración de cubierta: Juana Andueza

© Ediciones Cátedra (Grupo Anaya, S. A.), 2002, 2007
Juan Ignacio Luca de Tena, 15. 28027 Madrid
Depósito legal: B. 33.400-2007
I.S.B.N.: 978-84-376-2023-7
Printed in Spain
Impreso en Novoprint (Barcelona)

Índice

Introducción

A Elvira

Francisco de Goya, *Leandro Fernández de Moratín*

VIDA Y OBRA

Leandro Fernández de Moratín aspiró a una vida tranquila, entregada al cultivo de las letras y de la amistad. Su talento natural —y sus éxitos en el teatro— debieron haberla hecho posible, pero circunstancias personales e históricas le condujeron por ásperos caminos. En especial, la invasión de las tropas francesas, cuando había alcanzado el triunfo como autor teatral, le colocó en una disyuntiva que acabó trastocando por completo los últimos años de su vida[1].

Su padre, Nicolás Fernández de Moratín, insigne escritor neoclásico, tomó parte destacada en los círculos y tertulias de ilustrados madrileños. La más célebre de esas tertulias fue la de la Fonda de San Sebastián, en la que Nicolás Moratín desempeñaba un papel relevante dentro de un ilustre grupo de escritores e intelectuales: José de Cadalso, los hermanos Iriar-

---

[1] Sobre la vida de Leandro F. de Moratín, además de estudios sobre episodios concretos y de su *Epistolario* y su *Diario*, resulta imprescindible —aunque haya que utilizarlo con cautela— el testimonio de sus contemporáneos: Juan Sempere y Guarinos, *Ensayo de una biblioteca española*, II, págs. 130-134; Juan Antonio Melón, «Desordenadas y mal digeridas apuntaciones» en *Obras póstumas*, III, págs. 376-388, y «Apuntes biográficos de don Leandro Fernández de Moratín», en *La comedia nueva*, de. J. Dowling, Madrid, Castalia, 1970, páginas 23-39; Manual Silvela, «Vida de Leandro de Moratín» en *Obras póstumas*, I, págs. 1-50. Entre los estudios recientes, merecen destacarse: J. Dowling [1971], G. C. Rossi [1974] y J. Pérez Magallón [1995: 17-44]. Para sus primeros años de vida, es de gran valor el breve fragmento autobiográfico conservado en un manuscrito autógrafo (BNM, Ms. 18668/5) y publicado en *Obras póstumas*, III, págs. 301-306.

te, Ignacio López de Ayala, Francisco Cerdá, Juan Bautista Muñoz, Casimiro Gómez Ortega, José Guevara Vasconcelos, Vicente de los Ríos, Enrique Ramos y Manuel de Alcázar; además de los eruditos italianos Conti, Bernascone y Napoli-Signorelli.

Nació Leandro el 10 de marzo de 1760 en el seno de una familia relacionada con el taller de joyería del Real Guardajoyas, oficio en el que trabajaron su abuelo, su padre, un tío materno y, durante un tiempo, el propio Leandro. De su infancia, refiere él mismo cómo su gracia y talento natural deslumbraban a familiares y conocidos, pero también cómo una infección de viruela a los cuatro años, que le desfiguró la cara, modificó su carácter: alegre y sencillo con los suyos, aunque reservado e inseguro en el trato social. Melón y Silvela resaltan su simpatía y su talento cómico cuando se encontraba con su íntimos amigos: «Alegraba nuestra conversación con tantas gracias, chistes, donaires y agudezas, que era nuestra compañía una continua risa»[2]. Ante sus amigos, imitaba jocosamente a las personas más serias: Jovellanos, Huerta, el mismo Carlos III...[3]

Aunque Nicolás había estudiado Derecho en Valladolid, no quiso dar a su hijo una educación universitaria, sin duda por el convencimiento que tenían los ilustrados del atraso científico y metodológico de unas aulas universitarias dominadas por el escolasticismo más rancio y estéril[4]. De este

---

[2] Juan Antonio Melón, «Apuntes biográficos», pág. 25.

[3] Juan Antonio Melón, «Apuntes...», págs. 25-26.

[4] Un ejemplo de esa actitud crítica con el atraso e inutilidad de las universidades puede verse en las cartas VI, XXI y XXIII de las *Cartas marruecas* de José de Cadalso. La opinión del propio Leandro no puede ser más negativa, tal como muestra en carta a Ceán Bermúdez: «Ya sabe usted la celebridad que tiene la Universidad de Montpellier [...] y cuando usted quiera que la de Alcalá de Henares valga otro tanto, no hay más que destruir lo que hay en ella, empezando por los colegios y acabando por las ridículas borlas, la cabalgata, el paraninfo y los ataballillos; y si en lugar de esto pone usted excelentes profesores que enseñen cosas útiles con buen método, en vez de llenar a la juventud la cabeza de disparates, conseguirá usted que haya buenos médicos y cirujanos, buenos físicos y excelentes boticarios; habrá química, y con ella habrá industria, fábricas, artes y todo lo que nos falta, que no es poco; pero para esto, no hay remedio, es menester deshacernos de todo lo que nos sobra y nos per-

modo, su formación inicial fue básicamente autodidacta. En su casa encontró el mejor mentor, un ambiente literario y una biblioteca con la que educarse:

> Allí veía los amigos de mi padre; oía sus conversaciones literarias; adquirí un desmedido amor al estudio. Leía a *Don Quijote* y al *Lazarillo*, las *Guerras de Granada*, libro delicioso para mí, la *Historia* de Mariana y todos los poetas españoles de los cuales había en la librería de mi padre escogida abundancia *(Obras póstumas, III, pág. 305)*.

La influencia de dos de las obras citadas, las *Guerras de Granada* de Ginés Pérez de Hita y la *Historia de España* de Juan de Mariana, se aprecia en su primera obra conocida, el poema «La toma de Granada», un romance en endecasílabos que en 1779 obtuvo el accésit al concurso sobre el mismo tema convocado por la Real Academia Española (y al que Leandro se había presentado bajo pseudónimo y sin conocimiento de su padre, quien dos años antes había concursado sin éxito). La satisfacción del padre dejará en él una emotiva impresión, según el testimonio de su amigo Silvela: «Muchas veces me contó don Leandro este suceso, y siempre con tal emoción, que no me queda duda de que éste era el recuerdo más plácido de su juventud, como había sido el más delicioso momento de su vida» *(Obras póstumas, pág. 9)*.

Es posible que Moratín echara en falta, más tarde, haber tenido una educación universitaria como la de sus amigos Jovellanos, Forner, Ceán Bermúdez... (y no sólo porque le hubiera podido proporcionar un empleo de mayor nivel). Ésa sería la causa, en opinión de Andioc *(Epistolario, págs. 22-23)*, por

---

judica», *Epistolario*, pág. 43. Silvela explicaba de este modo la decisión tomada por el padre: «Le instaban [a Nicolás] a que le enviase a seguir estudios mayores en la Universidad de Alcalá y que aquél, que conocía los viciosos métodos de enseñanza que en todas éstas se seguían [...] les respondía: "Yo estoy contento con el muchacho; no quiero enviarle a ninguna parte a que me lo echen a perder." Dominado por esta idea, temiendo que adulterasen su gusto la bárbara latinidad y pedantería de la escuela; su índole, el horrísono ergoteo que en ellas retumbaba; y su razón, las extravagantes argucias del escolasticismo, no quiso que siguiese ninguna de las carreras literarias que exigían la necesidad de aquel sacrificio», *Obras póstumas*, pág. 8.

la que habría retocado al final de su vida un conjunto de die-ciocho cartas de 1787-1788 con vistas a su publicación, en las que, no por casualidad, abundan los pasajes eruditos y críti-cos: Moratín habría querido mostrarse a la altura de sus ami-gos en cuanto a conocimientos. En cambio, sus viajes por Europa, con largas estancias en Francia, Inglaterra e Italia, le proporcionaron una formación cosmopolita y un amplio co-nocimiento del teatro europeo.

La muerte de su padre en 1780 le obliga a mantener a su madre con su reducido sueldo como artesano joyero (doce reales diarios). Sus escasos recursos provocarán la desesperada búsqueda de un empleo y una duradera obsesión por admi-nistrar bien el dinero.

En esa época frecuenta la amistad de dos escolapios, Estala y Navarrete, grupo al que pronto se sumaría Juan Antonio Melón y, ocasionalmente, Juan Pablo Forner. Juntos hacían tertulia casi todos los días en la celda de Estala, donde com-petían en jocosos ejercicios literarios. Allí leyó Moratín por primera vez su comedia *El viejo y la niña*, que en 1786 dio a co-nocer a la compañía de Manuel Martínez y que no lograría estrenar hasta 1790 por la oposición del vicario eclesiástico de Madrid.

Jovellanos le consigue el empleo de secretario del conde de Cabarrús para acompañarle en su viaje a Francia en 1787. La caída en desgracia de Cabarrús a su vuelta a España le deja sin ingresos, teniendo que vivir —muerta ya su madre— en casa de su tío Miguel. Solicita, sin conseguirlo, la plaza de biblio-tecario segundo en los Reales Estudios de San Isidro y acaba pretendiendo, sin resultado, cualquier empleo que le permita no ser gravoso a su tío. Solamente un romance burlón envia-do al conde de Floridablanca, presidente del Consejo de Cas-tilla, le facilita un beneficio eclesiástico, para lo cual toma ór-denes menores.

De forma casual, Moratín, Forner y Melón consiguen ser presentados a Manuel Godoy, favorito de los reyes y, más tar-de, todopoderoso ministro, que los acoge bajo su protección. Su amparo le facilita solventar las dificultades para el estreno de su comedia *El viejo y la niña* y obtener una pensión de 600 ducados que le permite retirarse a Pastrana y escribir *La come-*

dia nueva (estrenada en 1792). Ese mismo año, emprende viaje a París, según explica Melón, ante los rumores de lo que parecía la caída inminente de Godoy. Los excesos del terror revolucionario le conducen enseguida a Londres, donde aprenderá el idioma, observará las costumbres de la sociedad inglesa, acudirá al teatro —su gran afición— y traducirá *Hamlet*[5]. Los comentarios y observaciones de su estancia inglesa los reúne en *Apuntaciones sueltas de Inglaterra*[6]. No ceja en su empeño de conseguir un empleo digno y le propone a Godoy la creación del cargo de bibliotecario del príncipe y, más tarde, un plan de reforma teatral que implicaba la designación de un director de los teatros. Pero no obtiene éxito en ninguna de sus dos propuestas, dos cargos a su medida.

Hastiado del clima inglés, solicita una ayuda a Godoy para ir a Italia, consiguiendo una importante cantidad, treinta mil reales, con la que se desplazará por Italia durante tres años visitando las más importantes ciudades: Florencia, Milán, Roma, Nápoles, etc. Especialmente grata fue su estancia en Bolonia, en el colegio de San Clemente, donde entablaría una fraternal relación con el rector («el [empleo] más apetecible que puede tener un cristiano» en opinión de Moratín)[7] y con un colegial, Juan Tineo, cuya amistad duraría hasta el final de sus días. Las impresiones de su estancia italiana quedarán recogidas en un manuscrito publicado póstumamente: *Viaje a Italia*[8].

Moratín no olvida a su protector y le envía un ejemplar de *La comedia nueva* impresa en Parma por Bodoni, el más célebre impresor de la época. El resultado no pudo ser más satisfactorio, al ofrecerle Godoy un empleo en la corte muy bien remunerado (treinta mil reales al año): Secretario de la Interpretación de Lenguas. En contraste con este éxito, el viaje de

---

[5] Su estancia inglesa ha sido comentada con detalle por Ortiz Armengol [1985]. Acerca de la traducción de *Hamlet*, tenemos el estudio de Regalado Kerson [1989]. La traducción había sido duramente atacada por Cristóbal Cladera [1800], resentido con Moratín.

[6] Hay edición moderna, a cargo de Rodríguez-Fischer [1992].

[7] *Obras póstumas*, II, págs. 135-136.

[8] La mejor edición del *Viaje a Italia* es la de Tejerina, Espasa-Calpe, Madrid, 1991.

regreso fue una terrible travesía marítima de dos meses, con insospechadas arribadas en Cerdeña, Menorca y Algeciras, en la que se encontraron varias veces a punto de naufragar. Su mecenas le recibe con muestras de afecto en Aranjuez, aunque la cortés negativa de Moratín a componer un poema para Pepita Tudó, la amante de Godoy, tiene como consecuencia que muchos que le habían recibido cariñosamente le rehúyan ahora, entre ellos el poeta Juan Meléndez Valdés, temerosos de su esperable caída en desgracia.

A su vuelta a Madrid, se inicia un extenso período de doce años en los que su cargo le permite la tranquilidad y el desahogo económico suficiente para poder dedicar el tiempo libre a sus aficiones literarias. Empleará su sueldo en aumentar la biblioteca de su padre, en imprimir sus comedias, en comprar una casa y una huerta en Pastrana, en la Alcarria, lugar de origen de su abuela paterna que se convertirá en su anhelado retiro. Llegará, incluso, a emplear una parte importante de su fortuna en actos de generosidad con sus parientes y con un dependiente de la Secretaría[9].

Conoce en 1798 a Paquita Muñoz, por quien sentirá un afecto del que no podemos evaluar su grado de enamoramiento, en todo caso compatible con sus relaciones con diversas mujeres galantes y con la actriz María García, la *Clori* de sus poemas. En 1799 Moratín ha convertido en comedia —que estrena en 1803— la zarzuela *El barón*, disconforme con que circulara alguna copia de ella, al fin y al cabo una obra hecha por encargo. A finales de ese año se constituye la Junta de Dirección de los teatros, lo que suponía el éxito de los partidarios de la renovación de las prácticas teatrales. Entre ellos, el catedrático de los Reales Estudios de San Isidro, Santos Díez González, quien compuso una «Idea de una reforma de los teatros públicos de Madrid», elogiada por Moratín. Si el proyecto de reforma presentado por Leandro siete años antes había sido rechazado, el de Díez González es aprobado por el corregidor de Madrid, juez protector de los teatros. El logro resultará efímero: Moratín, que había sido nom-

---

[9] M. Silvela, «Vida de Leandro Fernández de Moratín», pág. 45.

brado director de los teatros, renuncia al cargo de inmediato, aunque asiste a las reuniones de la Junta como vocal durante varios meses, y la propia Junta acabará disuelta a los tres años.

La reforma del teatro, con la prohibición de las concurridísimas comedias de magia (y el aumento del precio de las entradas para excluir al vulgo), provocó muchos recelos entre los tradicionalistas y entre quienes habían resultado perjudicados. La protesta que sufre *El barón* en su estreno habría que explicarla en este contexto, dirigida, quizá, más contra el influyente reformador del teatro que contra la propia obra, que se repondrá en 1805.

Su presencia como autor es muy activa en estos años. En 1799 se reponen *El viejo y la niña* y *La comedia nueva*. En julio de 1801 lee a sus amigos una primera versión de *El sí de las niñas*. Estrena en el teatro de la Cruz *La mojigata* (1804), con buena acogida, y *El sí de las niñas* (1806), el mayor éxito teatral de la época: veintiséis días seguidos se mantuvo en cartel (hasta la llegada de la cuaresma, que interrumpía la actividad teatral) con ingresos excepcionalmente altos y regulares (Andioc 1968:18). En las representaciones Moratín había intervenido activamente para elegir a los actores por su adecuación al papel y no por su rango en la compañía, para imponer ensayos y un estilo de representación sencillo y natural. Había conseguido que el juez protector de los teatros le concediera el derecho de escoger los actores, supervisar el número de ensayos y aprobar trajes y decoraciones (*Epistolario*, págs. 231-234).

El triunfo apabullante de *El sí de las niñas* no dejó de provocar recelos. Se hizo algún escrito en contra y fue denunciada a la Inquisición, como explica Moratín en la Advertencia que figura al comienzo de la edición de 1825[10]. Si en un primer examen no encontró la Inquisición materia digna de censura, en 1819, restaurada por Fernando VII, prohibió la obra. Se-

---

[10] El propio ministro de Gracia y Justicia, José Antonio Caballero, que había perseguido a Jovellanos, fue quien remitió al inquisidor general un escrito contrario a la comedia (la *Carta crítica de un vecino de Guadalajara* de Bernardo García). Refiere el proceso Dowling [1961] y Fernández Nieto [1970] reproduce los documentos. Por su parte, Andioc [1989] analiza con detalle las interpretaciones inquisitoriales del texto de la obra.

gún el testimonio de su amigo Silvela, esta denuncia había sido la causa de que, con esta comedia, Moratín diese fin a su carrera como autor teatral (a pesar de que «cuando se representó *El sí de las niñas* tenía ya en el telar la trama de cuatro o cinco composiciones que se proponía ir arreglando y publicando sucesivamente»):

> Desde entonces verdaderamente se despidió del teatro. La tempestad, como él mismo dice, «se desvaneció con la presencia del Príncipe de la Paz», mas juró aquel en su corazón no exponerse a que se excitase la segunda. Admiraba el heroísmo de Sócrates, pero no tenía vocación de mártir y decía, como Aristóteles, «Evitemos que se cometa un crimen más contra la filosofía», ni por comedia más o menos era cosa de verse encerrado y ensambenitado *(Obras póstumas,* págs. 36-37)[11].

Secundado por los amigos de la tertulia que Moratín llama Sociedad de Acalófilos ('amantes de lo feo'), en especial Tineo y Gómez Hermosilla, emprende una campaña contra lo que considera «nuevo culteranismo» de algunos poetas. Su actitud se produce ante las adiciones de Munárriz a la traducción de las *Lecciones sobre la retórica y las bellas letras* de Hugo Blair, aparecida en 1798 y 1801, y ante lo que considera excesos de poetas que publican ediciones o reediciones de sus obras en esos años: Meléndez Valdés en 1797, Álvarez de Cienfuegos y Mor de Fuentes en 1798, Quintana en 1802. Critica el desdén hacia la tradición de la poesía clasicista española, en la que incluye a su padre, Nicolás, y a él mismo, sin percibir el cambio de sensibilidad y el nuevo lenguaje que está surgiendo en ese momento. Atribuye sus defectos al desconocimiento de los mejores poetas españoles y a la influen-

---

[11] De todos modos, le anunciaba a Pietro Napoli-Signorelli su propósito de no escribir más comedias (en carta de 24 de julio de 1806, anterior a la denuncia al inquisidor): «La llamo última [comedia] porque no quisiera gastar el tiempo en componer más obras de esta especie», *Epistolario,* pág. 253. Es posible que los ataques empezaran desde el momento del estreno. Riesgo, por lo demás, del que Moratín era consciente: para allanar dificultades, había publicado la comedia antes de su estreno —en 1805— con dedicatoria a Godoy (Pérez Magallón, 1994: 258).

cia de las traducciones, especialmente del francés[12]. Esta preocupación por lo que le parece menoscabo del buen gusto le acompañaría el resto de su vida, sintiendo relegada la poética que veía representada en su padre y en él mismo. En cualquier caso, Moratín no dejó de volcarse en su lenta, pero continuada creación poética, acompañada de una minuciosa labor de lima, como atestiguan las variantes de los manuscritos autógrafos que se conservan[13].

La llegada de las tropas napoleónicas en 1808 cortó ese fructífero período. Moratín, como tantos otros, se vio en la obligación de tomar partido por uno de los dos bandos. Bien fuera porque, carente de una fortuna familiar, no se atrevió a arriesgar la posición que disfrutaba, bien por considerar, como afirmó en el Prólogo para una proyectada edición del *Fray Gerundio*, que el impuesto José Bonaparte podría convertirse en un monarca ilustrado, regenerador de España[14],

---

[12] Aparte de parodias como la epístola «A Andrés», donde se muestra más virulento Moratín es en su Prólogo a *Obras dramáticas y líricas*: «Sustituyeron a la frase y giro poético que le es peculiar locuciones peregrinas e inadmisibles. Quitaron a las palabras su acepción legítima o las dieron las que tienen en otros idiomas. Intentaron a su placer, sin necesidad ni acierto, voces extravagantes que nada significan, formando un lenguaje oscuro y bárbaro, compuesto de arcaísmos, de galicismos y de neologismos ridículos. [...] Falta de plan poético, pobreza de ideas, redundancia de palabras, apóstrofes sin número, destemplado uso de metáforas inconexas o absurdas, desatinada selección de adjetivos, confusión de estilo, y constante error de creer sencillo lo que es trivial, gracioso lo que es pueril, sublime lo gigantesco, enérgico lo tenebroso y enigmático» (págs. XLI-XLII). Pérez Magallón [1995: 76-83] comenta con tino esta actitud de Moratín.

[13] El conjunto de la poesía de Moratín ha sido editado en un muy valioso trabajo por Pérez Magallón [1995].

[14] «Una extraordinaria revolución va a mejorar la existencia de la monarquía, estableciéndola sobre los sólidos cimientos de la razón, de la justicia y del poder», «Prólogo para una nueva edición de *Fray Gerundio*», en *Obras póstumas*, III, pág. 209. Aunque no hay que ignorar lo que pueda haber de lisonja al nuevo régimen, se trasluce sin duda una esperanza o un deseo de un futuro mejor: «Existirá en ella [en la nación con la nueva dinastía] la religión, habrá leyes y patria, florecerán las ciencias, y su cultura la hará poderosa; no será un delito censurar errores funestos a la sociedad; y si alguno intenta seguir las huellas del esclarecido autor que con tanto celo como doctrina se declaró contra la profanación del púlpito, ni temerá que un Tribunal de tinieblas le castigue, ni padecerá bajo el gobierno de un príncipe ilustrado y justo las aflicciones que turbaron el reposo de aquel sabio español» (pág. 210).

o bien, como afirma Silvela, por miedo a los levantamientos populares después de su experiencia en la Francia revolucionaria, Moratín decidió seguir en su cargo de Secretario de Interpretación de Lenguas, aceptando en 1811 el nombramiento de bibliotecario mayor de la Biblioteca Real. La nueva dinastía impuesta representaría a sus ojos la Ilustración, la modernidad y el racionalismo opuestos a los tradicionalistas. Las funestas consecuencias de la guerra sin duda le habrían afectado hondamente. Manuel Silvela, alcalde de Corte, refiere en qué circunstancias entablaron amistad:

> Moratín, que nunca fue a casa de un ministro a pedirle nada, vino a la mía diferentes veces para interesarse por los desgraciados que sus opiniones habían comprometido. [...] ¡Cuántas veces, en nuestras conversaciones, discurriendo sobre el estado de los negocios públicos, deplorando juntos la suerte de los pueblos, los desórdenes y males de la rapacidad militar, las funestas consecuencias de la ambición, vi sus ojos arrasados de lágrimas *(Obras póstumas,* II, págs. 40-41).

Comprometido con un bando en cuanto que funcionario, padece las consecuencias de los avatares de la guerra. Acompaña al ejército francés en su retirada a Vitoria tras la batalla de Bailén y en su regreso a Madrid. Estrena la adaptación de Molière *La escuela de los maridos,* que había escrito antes de la invasión. En agosto de ese año, tras la derrota francesa en Arapiles, tiene que huir de Madrid, a donde nunca podrá regresar. Su amigo Melón refiere cómo Moratín, obligado a realizar a pie el viaje a Valencia, sin dinero y enfermo, encuentra providencial acogida en el coche de la actriz María García y Manuel de la Prada. No pudo quedarse allí mucho tiempo y, en su marcha a Francia, sufrió el asedio de Peñíscola, en el que padeció un buen número de penalidades y estuvo a punto de perder la vida cuando capituló la plaza. El gobernador fernandino de Valencia le expulsa a Francia, aunque consigue permiso en Barcelona para quedarse en la ciudad. La carencia de bienes económicos le lleva, según Silvela, a dejarse morir de hambre, no tanto como un suicidio, sino más bien «como una resignación con los decretos de la suerte, que le negaba los medios de prolongar su existencia» («Vida de Moratín», pág. 44). Por fortuna, el mismo día que toma esa decisión —según la misma fuente— le notifican que, en el juicio de purificación al que se había sometido, se le levanta el secuestro sobre sus bienes.

Recupera de este modo las propiedades —una casa en la calle de Fuencarral y un jardín en la de San Juan, algunos cuadros y los restos de su biblioteca— que había conseguido con el producto de sus ahorros, dado su sobrio estilo de vida, con su sueldo de Secretario de Interpretación de Lenguas en los años de 1796 a 1808. La venta de sus recobrados bienes le proporcionará los medios para su subsistencia en el último tercio de vida.

Se amolda a Barcelona más fácilmente de lo que esperaba gracias al cariño de algunos amigos y de las gentes del teatro (los actores le conceden libre entrada al teatro); pero, temeroso de la Inquisición, a mediados de 1817 solicita permiso para trasladarse a Francia, supuestamente para tomar los baños en Aix-en-Provence.

Después de una estancia en Montpellier de varios meses, se establece en París con su amigo Melón durante dos años, hasta el momento en que éste vuelve a Madrid. Se dirige entonces a Bolonia, donde permanece hasta que, restablecida la Constitución en 1820, es abolido el tribunal inquisitorial, por lo que regresa a Barcelona. Allí edita las *Obras póstumas* de su padre y trabaja en sus propias obras, pero una epidemia de peste le fuerza a salir de la ciudad con su amigo Manuel García de la Prada recalando en Bayona. Indeciso entre Bilbao y Burdeos, pero resuelto a no dirigirse a Madrid por miedo a los avatares políticos, sigue las recomendaciones de Manuel Silvela estableciéndose en Burdeos en un cuarto cercano al teatro para, al cabo de unos meses, instalarse en la casa de la familia Silvela. En Burdeos llevará una vida ordenada en la que no falta la asistencia diaria al teatro y la relación con otros españoles exiliados, como Goya y Sempere y Guarinos. Trabaja en la edición de sus obras y en los *Orígenes del teatro español*, iniciada tiempo atrás, aunque no logra vender el manuscrito.

La condena inquisitorial de *El sí de las niñas* y de *La mojigata* y las penalidades padecidas le hacen, sin duda, experimentar el sentimiento de la ingratitud de la patria. Desde la capital francesa le escribe a su amigo Dionisio Solís:

21

Lo cierto es que nuestra dulce patria no permite que ninguno de sus hijos sobresalga en ella impunemente y paga con amarguras los esfuerzos del talento y la aplicación, al paso que recompensa con premios y honores la ignorancia, el error y los delitos *(Epistolario,* pág. 402)[15].

Dos serios percances en su salud —que logra superar— a finales de 1825 y a comienzos del año siguiente, le dejan en una actitud de inactividad a la que no debía ser ajena la premonición de una próxima muerte reiterada en las cartas de este período. Así, le dice a Melón: «No escribo nada, leo algo y espero que te escriban: "Moratín ha muerto"» *(Epistolario,* pág. 673).

Acompaña a los Silvela cuando se mudan a París en 1827 y allí, el 21 de junio de 1828, fallece como consecuencia de un cáncer de estómago.

EL TEATRO EN LA ÉPOCA DE MORATÍN

En el ámbito teatral —como en tantos otros— la minoría ilustrada había intentado una reforma que chocaba frontalmente con los gustos imperantes, de tradición barroca. Era un cambio que perseguía la naturalidad, entendida como clasicismo (en la línea propugnada ya por Cervantes), en todos los aspectos de la representación: también en la escenografía y en las costumbres interpretativas de los actores. Las preferencias

---

[15] Las palabras con las que describe, en carta a Eugenio de Llaguno seguramente rehecha con posterioridad a su destierro, la situación de Goldoni, forzado a terminar sus días en un país extranjero, están escritas pensando quizá en su propia situación: «Es cosa cruel que el mérito de hombres tan extraordinarios, honor de su nación y de su siglo, se desconozca y se desprecie con tal extremo, que la soberbia república de Venecia permita que Goldoni viva a merced de un gobierno extranjero y que otra nación haya de dar sepulcro a un hijo suyo que tanto ha contribuido a su ilustración, a sus placeres y a su gloria» *(Epistolario,* pág. 70). Las notas a los poemas dedicados a la muerte de Meléndez Valdés y de Juan Antonio Conde refieren con toda su crudeza el pensamiento de Moratín: «La facilidad con que España se desprende de los hijos que más la ilustran, y la indiferencia con que ve su pérdida, manifiestan demasiado el atraso a que la han reducido tres siglos de opresión religiosa y política» *(Poesías completas,* pág. 407).

del público se inclinaban hacia un tipo de teatro espectacular, de muy compleja —y costosa— puesta en escena, que bajo el nombre de *comedia de teatro* englobaba diversos géneros. De entre ellos, el de mayor éxito es el de la comedia de magia, que hereda del teatro del siglo anterior (Calderón, en especial) el personaje del mago eliminando lo que pudiera tener de demoniaco. Se representan en el escenario prodigios, batallas, las transformaciones más sorprendentes o inverosímiles; los protagonistas vuelan por los aires o se hunden bajo tierra, se producen extrañas apariciones y desapariciones, a la vez que fantásticos encantamientos[16]. No cabe duda que el público se sentía atraído por lo ilusorio, por los asombrosos cambios de decorado y por la compleja maquinaria. Las dos comedias de magia más famosas, *Marta la Romarantina* (1716) de Cañizares y *El mágico de Salerno, Pedro Vayalarde* (1715) de Salvo y Vela, se representaron con gran acogida a lo largo de todo el siglo y dieron lugar a una serie de continuaciones.

Otro tipo de comedia de teatro, también con gran aparato escénico, es el de la comedia militar, variedad de comedia heroica (con personajes socialmente elevados). Se suceden en ella con ritmo vertiginoso las batallas, conspiraciones, ceremonias solemnes, ejecuciones, etc. Moratín se burlará con sorna de este dinamismo al poner en boca de un personaje de

---

[16] La afición del vulgo por los efectos espectaculares es satirizada por Tomás de Iriarte en *Los literatos en cuaresma* (1773): «Aquel rústico de la chupa parda que alarga el cuello con ansia es tan aficionado a comedias que gasta su dinero en viajes a Madrid. Hoy mismo ha venido de Móstoles atraído de la voz que oyó de que se echaba una gran función de teatro. Mira al suelo del tablado por si descubre señales de algún escotillón por donde haya de bajar en tramoya algún cómico. Ve que todos pisan en firme y pierde la esperanza de que pueda haber trampa ni ratonera alguna. Alza la vista hacia el techo del coliseo y no ve cuerda o maroma ni torno ni carrillo de pozo de que pueda inferir que hay algún vuelo. Esto le indispone mucho y jura en su corazón no volver a salir de su lugar mientras no sepa qué hacen la parte tercera, cuarta, quinta o milésima del famoso Pedro Vayalarde. El único medio que habría para consolar a este pobre aldeano sería que alguno de los personajes que representan saliese herido mortalmente o precipitado de un caballo, o bien despeñado de una elevada roca y diese una tremenda y estrepitosa caída en mitad de las duras tablas, de suerte que todos gritasen: *¡Qué bien ha caído!* Aquella es una de las principales habilidades que tiene que aprender un cómico.»

La comedia nueva un comentario elogioso de la ficticia *El gran cerco de Viena* (sátira de *El sitio de Calés* de Comella), que es toda una sarcástica descripción:

> D.ª AGUSTINA. Pues ya se ve [que ha de suscitar admiración]. Figúrese usted una comedia heroica como ésta, con más de nueve lances que tiene. Un desafío a caballo por el patio, tres batallas, dos tempestades, un entierro, una función de máscara, un incendio de ciudad, un puente roto, dos ejercicios de fuego y un ajusticiado; figúrese usted si esto ha de gustar precisamente.
> D. SERAPIO. ¡Toma si gustará! *(La comedia nueva,* II, 2).

Por lo demás, entre las comedias de magia y las militares había una relación que las aproximaba en el gusto del público: en las de magia no eran infrecuentes las escenificaciones de batallas (como ocurre en *Marta la Romarantina)* y, por su parte, en las militares se recurría con frecuencia a la magia o, al menos, a lo maravilloso, como las apariciones fantásticas (recurso utilizado también en las obras mitológicas, en las óperas y en las zarzuelas).

En el último tercio del siglo XVIII y en los comienzos del XIX adquirió cierto auge el género de la comedia sentimental o lacrimosa, en la línea de la *comédie larmoyante,* que había tenido gran éxito en Francia, con autores como Diderot y Nivelle de la Chaussée. El iniciador en España fue Ignacio de Luzán con la traducción de *Le préjugé à la mode* de Nivelle de la Chaussée, con el título de *La razón contra la moda* (1751). Pero no se desarrollaría hasta el certamen celebrado en los salones de Olavide, Intendente de Sevilla, con el triunfo de *El delincuente honrado* (1773) de Jovellanos. En esta obra se planteaba, de manera patética, el conflicto jurídico y moral provocado por la ley que prohibía los duelos castigando con la misma pena al provocador y al desafiado sin tener en cuenta la concepción vigente del honor, según la cual no aceptar el desafío sería motivo de deshonra. Las que tuvieron mayor éxito fueron, sin embargo, las que planteaban el problema del matrimonio contrariado por la desigualdad social entre los novios (e, incluso, entre los ya esposos). En ellas se defendía, con argumentos afectivos (llantos, desmayos...) más que racionales, la virtud como la verdadera nobleza, aunque con frecuencia se producía el descubrimiento final del origen noble del contrayente plebeyo o burgués, con lo que se armonizaba socialmente el matrimonio. La obra de mayor éxito de este género fue, sin duda, *Las víctimas del amor, Ana y Sindham* (1788) de Gaspar Zavala y Zamora.

Durante un tiempo, a partir de las afirmaciones de Emilio Cotarelo y Marcelino Menéndez Pelayo, lastradas de prejuicios contra la Ilustración, se había sostenido que la preferencia del público en el siglo XVIII, a excepción de la minoría ilustrada, se inclinaba decididamente hacia las comedias del Siglo de Oro, y muy en especial Calderón. El análisis de las obras representadas en Madrid, pero sobre todo el del número de días en cartel y las recaudaciones indican una realidad bien diferente. Cook [1959] y Andioc [1976: 17-30] demostraron con toda evidencia que, si bien las comedias del Siglo de Oro ocupaban una parte no despreciable del repertorio de las compañías (con el predominio casi absoluto de las de Calderón), se mantenían, por lo general, sólo unos pocos días y difícilmente superaban la mitad del aforo del teatro.

Frente al ritmo decreciente de representaciones que se produce sobre todo a partir de 1780, el teatro barroco alcanza cierto éxito editorial, lo que indica que sigue disfrutando del interés de la aristocracia y de las clases acomodadas. Calderón, en efecto, se convierte en símbolo —de valores opuestos— para unos y otros. Si para los tradicionalistas representa las virtudes nobiliarias de la época anterior, los ilustrados, en cambio, lo consideran un ejemplo de «inmoralidad»: las manifestaciones del individualismo aristocrático se sitúan al margen de las leyes y de la autoridad. El propio Moratín juzgará con gran dureza, en un memorial dirigido a Godoy, este tipo de teatro:

> La autoridad paterna se ve insultada, burlada y escarnecida. El honor se funda en opiniones caballerescas y absurdas que en vano han querido sofocar las leyes mientras el teatro las autoriza. No es caballero el que no se ocupa en amores indecentes, rompiendo puertas, escalando ventanas y ocultándose en los rincones [...] No es caballero tampoco el que no fía su razón a su espada, el que no admite y provoca el desafío por motivos ridículos y despreciables, el que no defiende el paso

de una calle o de una puerta a la justicia [...] En una palabra, cuanto puede inspirar relajación de costumbres, ideas falsas de honor, quijotismo, osadía, desenvoltura, inobediencia a los magistrados, desprecio de las leyes y de la suprema autoridad, todo se reúne en tales obras *(Epistolario,* pág. 143).

Las comedias se complementaban con un entremés, representado entre el primer y el segundo acto (y sustituido por una tonadilla a partir de 1780) y un sainete, entre el segundo y el tercer acto. Al sainete le podía seguir también una tonadilla, una canción popular escenificada que con el tiempo se fue alargando hasta convertirse casi en una pequeña zarzuela. En el género del sainete, que consiguió una gran popularidad, destaca la figura de Ramón de la Cruz. Si solía presentársele como un representante de la tradición nacional enfrentada al gusto neoclásico, hoy se le considera más bien como un atento observador de la vida cotidiana de Madrid, de la que hace una amable sátira caricaturizando sus aspectos más ridículos.

La primera reacción de importancia desde una perspectiva neoclásica contra el teatro de tradición barroca se produce en *La poética* (1737) de Luzán, en donde proclama la necesidad de las llamadas tres unidades (de lugar, de tiempo y de acción), que tanta polémica provocarían, y la finalidad moral del teatro (como equilibrio entre deleite y utilidad). De las comedias de Lope y Calderón alaba su elocuencia y la inventiva demostrada en la variedad de tramas, pero critica la inverosimilitud y la escasa coherencia, además de la burda comicidad del gracioso.

La unidad de acción no implicaba para Luzán falta de variedad, sino que las partes estén «dirigidas todas a un mismo fin y a una misma conclusión» (pág. 457)[17]. La unidad de tiempo requería una coincidencia entre el tiempo de la acción

---

[17] Lo explicaría con claridad Tomás de Iriarte en *Los literatos en cuaresma:* «No es difícil comprehender cuál es la unidad de acción. Ésta sólo pide que no se represente más que un hecho único y principal, aunque adornado de diversos lances; que no sobresalgan en un mismo drama dos héroes iguales que dividan la atención del auditorio; y que el fin de la comedia o tragedia sea único y señalado, de suerte que quede desempeñado aquel objeto que desde el principio se propone, pues, de lo contrario, se podría abrazar en una misma representación la serie de todas las guerras de Alejandro o de todas las aventuras de don Quijote de la Mancha.»

y el de la representación. Si aparecía como una exigencia de la verosimilitud, la frecuencia con que esta regla era infringida se explicaba por su dificultad. La unidad de lugar resultaba también una exigencia de la verosimilitud, si bien Luzán admite cambios leves (lugares próximos).

En su obra, Luzán recogía los principios clasicistas de autores como Aristóteles y Horacio —pero también Quintiliano, Cicerón y otros—, además de teóricos italianos (principalmente Muratori) y, en menor medida, franceses y españoles.

En esta línea se manifestarían Blas Antonio Nasarre y Agustín Montiano y Luyando; el primero, en el Prólogo a su edición del teatro de Cervantes, el segundo, con sus *Discursos sobre las tragedias españolas* (1750 y 1753) y con sus tragedias *Virginia* (1750) y *Ataúlfo* (1753). En la década de 1750 se realizan una serie de versiones y adaptaciones de Racine, pero es en la década siguiente cuando se dan importantes pasos en la reforma teatral, impulsada desde el gobierno por el conde de Aranda, consciente del papel educativo del teatro, apoyando al grupo de escritores ilustrados y promoviendo las traducciones del francés y la creación de nuevas tragedias. En este género, de escaso éxito popular, pero del que se escribió un buen número de obras, destacan Nicolás Fernández de Moratín *(Lucrecia, Hormesinda, Guzmán el Bueno)*, Cadalso *(Don Sancho García, conde de Castilla, Solaya o los circasianos)*, Jovellanos *(Munuza)*, García de la Huerta *(Raquel,* neoclásica en la estructura pero no en el contenido), Cienfuegos *(La condesa de Castilla)*.

Si la tragedia se orienta a las clases dirigentes, la comedia se ve forzada a bregar con las preferencias populares y con los intereses económicos de los actores (que desconfían del éxito de la nueva estética). Frente a la espectacularidad de las comedias de teatro, la comedia clasicista o neoclásica persigue un fin didáctico, como escuela de buenas costumbres, y se caracteriza por la verosimilitud y la propiedad del lenguaje.

El primer intento en esta línea es *La petimetra* (1767) de Nicolás Moratín, que no llegó a representarse y que su hijo, Leandro, años después, juzgará desacertada[18]. Mejor opinión

---

[18] «Esta obra carece de fuerza cómica, de propiedad y corrección de estilo», en «Vida de Nicolás Fernández de Moratín», *Obras,* pág. VIII.

tendría, en cambio, de *El señorito mimado* (1787) de Tomás de Iriarte, que considera la primera comedia escrita de acuerdo con las reglas. Iriarte había afirmado en el Prólogo de *Hacer que hacemos* (1770), además de su intención didáctica, la necesidad de un estilo sin afectación y de un único enredo desprovisto de los habituales lances inverosímiles. También sobre el tema de la educación de la juventud —y en una perspectiva complementaria— escribe *La señorita malcriada* (publicada en 1788 aunque no se representa hasta 1791). Pero, sin lugar a dudas, la gran figura de la nueva estética es Leandro Fernández de Moratín que con *El sí de las niñas* inaugurará el teatro moderno en España.

EL TEATRO DE MORATÍN

La primera comedia de Moratín, *El viejo y la niña*, representada con éxito en 1790 tras los retoques impuestos por la censura eclesiástica, trata el omnipresente tema en sus obras de las funestas consecuencias de los matrimonios impuestos y desiguales. La joven Isabel, engañada por su tutor que le ha hecho creer que su amado Juan se ha casado, se ve conminada al matrimonio con un viejo comerciante, don Roque. El desenlace no puede ser feliz: Juan marcha a América e Isabel ingresa en un convento, no como castigo de una culpa que no ha cometido (el adulterio, que sería casi la consecuencia natural aunque evitado por su virtud), sino como afirmación de independencia ante el engaño con que ha sido conducida al matrimonio y, también, como reconocimiento de su amor.

El origen de la comedia podría explicarse (Dowling, 1976) por un episodio de la vida de Leandro: su enamoramiento por Sabina Conti y el matrimonio de ésta con Juan Bautista Conti (de treinta y nueve años, el doble de la edad de Sabina). La obra presenta también notables semejanzas (Martínez Mata, 1990) con un relato aparecido en el discurso XLI de *El Censor* (1781), el más relevante periódico ilustrado, en el que se muestra, en tonos sentimentales, la imposición de un matrimonio —forzado por la necesidad— de una muchacha con un viejo acaudalado que rompe el amor entre dos jóvenes virtuosos[19]. Claro está que el tema del matrimonio entre «viejo» y «niña» era, además de literario y artístico (Goya lo reflejará en el Capricho 14 «¡Qué sacrificio!», en el que una joven es entregada a un viejo deforme pero rico), una realidad social evidente, como nos lo muestran los testimonios citados por Andioc (1976: 436): en Madrid en 1787 el número de varones casados de más de cincuenta años era muy superior al de mujeres y, en consecuencia, había tres veces más viudas que viudos. Moratín habría tenido ocasión de conocer ejemplos muy próximos (además del caso de Sabina Conti): su tío Nicolás Miguel se había casado a los cuarenta y pico años (para Juan Antonio Melón se encontraba ya «en edad avanzada») con una joven segoviana que no conocía. También se habría enterado, sin duda, del matrimonio, el mismo año que redactaba *El viejo y la niña*, del conde de Aranda a los sesenta y cinco años con una sobrina nieta que no llegaba a los dieciséis.

En su primera obra Moratín se atiene a la poética neoclásica: verosimilitud, propiedad del lenguaje, tema de actualidad, respeto a las unidades... Su propósito no es tanto proponer soluciones —de acuerdo con las convenciones morales y sociales dominantes, que rechazaban el divorcio, no podría haber final feliz— como crear conciencia del problema y denunciar las conductas que lo ocasionan.

Con *La comedia nueva*, estrenada en 1792, Moratín satirizaría los excesos de las espectaculares comedias «de teatro», que gozaban del favor del público. El escenario es un café, un establecimiento que, introducido a mediados del XVIII, supondría un cambio en la sociabilidad, a medio camino entre el salón aristocrático y la taberna plebeya, permitía un intercambio de ideas sin la rigidez de academias y salones, a la vez que la heterogeneidad social de la clientela favorecía la circulación

---

[19] Las dos protagonistas femeninas son jóvenes huérfanas y desamparadas (como Francisca en *El sí de las niñas*) y tienen la misma entereza de ánimo y una ejemplar virtud. Los protagonistas manifiestan una semejante desesperación que les encamina a la muerte (como don Carlos en *El sí...*). Los «viejos», de edad muy próxima: setenta y sesenta y cinco años, se revelan adustos y avaros (Martínez Mata, 1990: 315). Muy diferente será, en cambio, el talante de don Diego en *El sí de las niñas*.

de opiniones. Allí se refiere el estreno, y estrepitoso fracaso, de una supuesta comedia heroico-militar, *El gran cerco de Viena*, escrita por un pobre hombre, don Eleuterio, mal aconsejado por el falso y pedante erudito, don Hermógenes. Un personaje sensato, don Pedro, que expresa las ideas del autor, vendrá a poner el final feliz empleando a don Eleuterio en la administración de sus bienes y pagando sus deudas. A pesar de las afirmaciones de Moratín de que se había servido de diferentes modelos[20], resultaba inevitable asociar a don Eleuterio con el prolífico Luciano F. Comella (autor, entre otras obras, de *El sitio de Calés*, de obvia semejanza con la comedia satirizada) y a don Hermógenes con Cristóbal Cladera.

A la vez que ridiculiza los gustos imperantes, Moratín propone con su propia obra un ejemplo de la nueva estética: frente a la ficción irreal y aparatosa, el realismo de la vida cotidiana, de lo contemporáneo; frente a la versificación rebuscada, el lenguaje —en prosa— apropiado a cada personaje.

Por encargo de la condesa-duquesa de Benavente Moratín compone la letra para la zarzuela *El barón*, de la que circularían diversas copias y hacia la cual no mostraría ningún aprecio: «cosa hecha de prisa y sin cuidado, que desapruebo solemnemente» *(Epistolario,* pág. 203). Más tarde, la convertiría en una comedia —con el mismo título— que se representa en 1803. En ella vuelve a aparecer el tema del matrimonio impuesto: doña Mónica, dominada por sus pretensiones nobiliarias, quiere casar a su hija Isabel, enamorada de otro joven, con un falso barón que no tiene más interés que el de quedarse con el dinero de doña Mónica. La intervención del hermano de ésta, don Pedro, servirá para desengañarla y desenmascarar al supuesto barón.

---

[20] «De muchos escritores ignorantes que abastecen nuestra escena de comedias desatinadas, de sainetes groseros, de tonadillas necias y escandalosas, formó un don Eleuterio; de muchas mujeres sabidillas y fastidiosas, una doña Agustina; de muchos pedantes erizados, locuaces, presumidos de saberlo todo, un don Hermógenes; de muchas farsas monstruosas, llenas de disertaciones morales, soliloquios furiosos, hambre calagurritana, revista de ejércitos, batallas, tempestades, bombazos y humo, formó *El gran cerco de Viena;* pero ni aquellos personajes ni esta pieza existen» (Prólogo a la edición de Bodoni, Parma, 1796).

Aunque escrita ya en 1791, *La mojigata* no se estrenaría —con la protección de Godoy— hasta 1804. En ella se muestra el resultado de dos tipos bien distintos de educación: Clara, educada de forma pacata y severa por su padre, despótico y violento, se ha convertido en una hipócrita que oculta con palabrería y actitudes religiosas un comportamiento bien distinto[21]; por el contrario, su prima Inés, educada de un modo mucho más razonable y tratada con afecto por su padre, se convierte en ejemplo de conducta recta y desprendida. A pesar de que Clara manifiesta vocación religiosa, trama toda clase de enredos para casarse con el interesado pretendiente de Inés, un joven calavera que cambia rápidamente de objetivo al enterarse de que Clara va a obtener una herencia. Si bien es Inés la que finalmente la recibe, la comparte generosamente con su prima. En lo que tiene de sátira de la hipocresía religiosa, se ha relacionado con *Marta la piadosa* de Tirso de Molina (Palomo, 1962) y con el *Tartufo* y *El misántropo* de Molière. Sin embargo, el tema no es tanto el de la hipocresía religiosa (que, por lo demás, queda ridiculizada), sino las funestas consecuencias de una educación equivocada.

Moratín escribió además otra comedia, *El tutor*, que según su *Diario* había concluido en Inglaterra a finales de 1792, pero la opinión negativa de Arteaga sobre ella le lleva a destruirla, a pesar de que algunos amigos habían conocido la obra. Cuando Estala elogia públicamente la obra[22], Moratín manifiesta su enfado: «¿Por qué habla del *Tutor*, que no existe?» *(Epistolario*, pág. 203).

---

[21] «D. MARTÍN. ¿Fingida virtud? D. LUIS. Fingida, / y la causa es manifiesta. / Cuando niña mostraba / candor, excelentes prendas, / pero tú, queriendo ver / mayor perfección en ella, / duro, inflexible, emprendiste / corregir las más ligeras / faltas: gritabas, no hacía / cosa en tu opinión bien hecha... / Tu rigor produjo solo / disimulación, cautelas; / la opresión, mayor deseo / de libertad; la frecuencia / del castigo, vil temor; / y, careciendo de aquellas / virtudes que no supiste / darla, aparentó tenerlas. / La hiciste hipócrita y falsa» (I, 1).

[22] «*El tutor* es muy superior al *Viejo y la niña;* la acción tiene más viveza e interés; los caracteres son más variados y mejor contrastados», *El Pluto*, 1794, pág. 43.

Moratín participa plenamente de la preocupación de los ilustrados por el teatro. Son conscientes de su importancia, en cuanto que es uno de los escasos espectáculos de la época, pero sobre todo de su finalidad educadora. Moratín le recuerda a Godoy: «Nadie ignora el poderoso influjo que tiene el teatro en las ideas y costumbres del pueblo: este no tiene otra escuela ni ejemplos más inmediatos que seguir que los que allí ve»[23]. Lejos de percibir al teatro únicamente como una diversión pública, tienen muy en cuenta el papel que puede desempeñar en tanto «escuela de costumbres». Si bien se sitúan en la tradición aristotélica y horaciana que atribuye una función educativa al teatro, los ilustrados le darán una dimensión social, trascendiendo lo individual, que afecta al presente (Maravall, 1982).

Si la tragedia está dirigida a las clases dominantes, la gente común, tanto el pueblo bajo como «las clases medias» que Moratín tiene en mente en sus obras, encontraría en la comedia «el relato de sus costumbres y de sus vicios y defectos», es decir, la representación de actitudes condenables que se muestran como ejemplo a corregir y la de comportamientos virtuosos que se convierten en modelo de conducta[24].

Dado el trascendental papel que los ilustrados concedían al teatro —y la descalificación estética y moral del teatro prefe-

---

[23] En un memorial para la reforma del teatro dirigido al gobernante, *Epistolario,* pág. 142. Olavide, que había colaborado tan intensamente con la política reformadora del teatro de Aranda, expresa una confianza casi ilimitada en el papel educativo del teatro: «En mi concepto nada forma tanto las costumbres del pueblo; nada ameniza tanto a la nobleza y la plebe; nada inspira tanta dulzura, urbanidad y amor a la honradez como las frecuentes lecciones que se dan al público en el teatro. Pienso, pues, que el que diera a España tragedias y comedias que, oyéndose con gusto, pudieran producir aquellos y otros efectos, le haría acaso el mayor servicio», en carta citada por Aguilar Piñal [1974: 89].

[24] «El pueblo y los hombres particulares logran su aprovechamiento en la comedia, viendo en ella copiado del natural el relato de sus costumbres y de sus vicios y defectos, en cuyo vejamen cada uno aprende y se mueve a corregir y moderar los propios», Luzán, *La poética,* pág. 194.

32

rido por el público— no es de extrañar que estuvieran clamando continuamente por su reforma desde presupuestos no sólo estéticos sino también morales y sociales. La estancia en Francia e Inglaterra le había proporcionado ocasión a Moratín de conocer un tipo de representación menos espectacular y más natural, más verosímil. De ahí que quiera hacerle ver a Godoy las consecuencias de su reforma:

> Si el teatro es la escuela de costumbres, [...] arreglado y dirigido como corresponde, producirá felices efectos, no sólo a la ilustración y cultura nacional, sino también a la corrección de las costumbres y, por consecuencia, a la estabilidad del orden civil, que mantiene los Estados en la dependencia justa de la suprema autoridad *(Epistolario,* pág. 144).

Aunque en el final del párrafo se perciba el miedo a las masas descontroladas como consecuencia de haber contemplado personalmente los horrores de la Revolución Francesa[25], sus palabras reflejan una optimista confianza en el papel del teatro como reformador de la sociedad. Confianza compartida por el resto de ilustrados, de los cuales el ejemplo más conocido es la *Memoria para el arreglo de la policía de los espectáculos y diversiones públicas* de Jovellanos.

La concepción de Moratín de la comedia está expuesta con claridad en la definición, tantas veces citada, que aparece en el Prólogo a *Obras dramáticas y líricas* (1825):

> Imitación en diálogo (escrito en prosa o verso) de un suceso ocurrido en un lugar y en pocas horas, entre personas particulares, por medio del cual, y de la oportuna expresión de afectos y caracteres, resultan puestos en ridículo los vicios y errores comunes en la sociedad y recomendadas por consiguiente la verdad y la virtud.

---

[25] No será la única ocasión en el citado memorial que se trasluzca el pánico a los excesos del populacho sublevado: «Un mal teatro es capaz de perder las costumbres públicas y, cuando estas llegan a corromperse, es muy difícil mantener el imperio legítimo de las leyes, obligándolas a luchar continuamente con una multitud pervertida e ignorante», *Epistolario,* pág. 142.

También al describir su obra *El barón*, Moratín caracteriza de una manera muy precisa su ideal de comedia: «Una fábula simple y verisímil, unos caracteres imitados directamente de la naturaleza, costumbres nacionales, viveza en el diálogo, sencillez urbana ['agradable, elegante'] en el estilo, algún chiste cómico, buena moral y, sobre todo, practicable» (Prólogo, Villalpando, Madrid, 1803).

En estas definiciones se echa en falta una característica de sus obras —ausente en los preceptistas de la Antigüedad—, lo que Moratín llama «mezcla de risa y llanto, que es propia de la buena comedia»[26], es decir, el contraste entre lo cómico y lo sentimental o afectivo. A pesar de que, en su concepción clasicista, Moratín es decidido partidario de una clara diferenciación de géneros (la tragedia y la comedia tendrían una distinta finalidad, concretas características y un ámbito social y temático específico), en sus comedias persigue un equilibrio de «situaciones de risa y llanto», consciente de que ese contraste resulta más eficaz para «persuadir y deleitar» al público. Si, frente a la comedia lacrimosa, defiende la presencia de algún personaje ridículo, percibe, en cambio, el riesgo de sobredimensionar el papel de los caracteres cómicos[27].

Se muestra también decidido partidario de la comedia de caracteres, frente a la de enredo, en una línea en la que tenía el modelo de Terencio en la Antigüedad clásica. Pero caracteres que no son personificaciones de conceptos universales, sino concretos y reconocibles como representativos de una clase social y de un momento histórico.

Su interés por el diálogo no se limita al necesario decoro o a conseguir la verosimilitud. Habíamos visto cómo caracterizaba *El barón* por su «viveza en el diálogo, sencillez urbana en

---

[26] En las Notas redactadas para *El viejo y la niña*, recogidas en *Obras póstumas*, I, págs. 59-87.

[27] «Conviene que algunos sean ridículos, pero todos no, porque sin esta contraposición no aparecería la deformidad en toda su luz, ni existiría la necesaria degradación en las figuras, que tocadas con diferente fuerza deben quedar subalternas a la que se presenta como principal», en Prólogo a *Obras de D. Nicolás y D. Leandro...*, pág. 321.

el estilo». Su propósito es enriquecer «sin exageración» el diálogo común, variándolo de acuerdo a los personajes y procurando evitar la trivialidad[28].

La defensa de las unidades, que Moratín asume, no es un precepto ideológico defendido ciegamente por los ilustrados, sino resultado de la convicción de que es un camino seguro para aumentar la verosimilitud de la fábula. Hay que tener en cuenta que el concepto de *reglas del arte* va incluso más allá de lo que pudiera entenderse como código normativo, puesto que en él están implicadas ideas tan esenciales en la poética clasicista como la imitación de la naturaleza, el buen gusto, la ilusión, la verosimilitud o la función social de la obra de arte[29]. Los neoclásicos entienden que se trata de principios articulados a partir de la experiencia: Luzán indica que «de las observaciones de la práctica nacieron los preceptos teóricos y las reglas de las artes» *(La poética*, pág. 563). Tomás de Iriarte llega a considerar las reglas «preceptos dictados por la luz natural», leyes que «están fundadas en la razón natural» y que «no fueron inventadas sino descubiertas; pues la naturaleza las da de sí, y ni Aristóteles, ni Horacio, ni Lope de Vega, ni Boileau, ni otro maestro alguno hicieron más que exponer con método lo que aprobara cualquiera entendimiento sano» *(Los literatos*, págs. 29, 31, 32).

Moratín es muy consciente de que las unidades por sí solas no producen la obra de arte: ésta va unida al talento[30]. Considera imprescindible la unidad de acción. Frente a la variedad tan frecuente en el teatro del Siglo de Oro o en muchas de las obras de su época, afirma tajantemente: «Un solo interés, una

---

[28] «No es fácil embellecer sin exageración el diálogo familiar cuando se han de expresar en él ideas y pasiones comunes; ni variarle, acomodándole a las diferentes personas que se introducen, ni evitar que degenere en trivial e insípido por acercarle demasiado a la verdad que imita», en Prólogo a *Obras de D. Nicolás y D. Leandro...*, pág. 320.

[29] Véase Sebold [1970: 9-56] y, ahora, las certeras reflexiones de Pérez Magallón [2001: 31-49].

[30] «Pueden hallarse observados en un drama todos los preceptos sin que por eso deje de ser intolerable a la vista del público [...] La observancia de las reglas asegura el acierto si el talento las acompaña», en *Obras de D. Nicolás y D. Leandro...*, pág. 316 y 323.

sola acción, un solo enredo, un solo desenlace; eso pide, si ha de ser buena, toda composición teatral»[31].

Pero, ante todo, no debe olvidarse que en su poética teatral desempeña un papel relevante la representación. De ahí su preocupación por elegir actores no demasiado conocidos, por imponer un reparto adecuado a los personajes (y no a la categoría de los actores en la compañía), por supervisar la interpretación —estableciendo pautas de sencillez y naturalidad frente a los habituales excesos—, los decorados, el vestuario, etc.

El sí de las niñas

La obra que consagró a Moratín ante sus contemporáneos y ante la posteridad fue *El sí de las niñas*. Moratín se refiere al éxito del estreno en la Advertencia que precede a la edición de 1825 con no disimulada satisfacción. Los veintiséis días seguidos que se mantuvo en cartel (hasta que la llegada de la cuaresma obligó a cerrar los teatros) y las recaudaciones excepcionalmente elevadas muestran la calurosa acogida de los madrileños. El que las localidades ocupadas por las mujeres rozaran el lleno indica, además, que la comedia planteaba un problema de candente actualidad (Andioc, 1976: 497-499).

Moratín había escrito la comedia varios años antes de su estreno: entre el 12 de julio de 1801 y el 24 de enero de 1806, fecha de su primera representación, había realizado al menos seis lecturas de la obra. La publicó a finales de 1805, con anterioridad al estreno, frente a lo que había defendido en *La co-*

---

[31] No lo dice por un prejuicio teórico, sino por convencimiento de que el espectáculo teatral se rige por las leyes de la economía dramática: «Si en la fábula se amontonan muchos episodios o no se la reduce a una acción única, la atención se distrae, el objeto principal desaparece, los incidentes se atropellan, las situaciones no se preparan, los caracteres no se desenvuelven, los afectos no se motivan; todo es fatigosa confusión», en *Obras de D. Nicolás y D. Leandro...*, pág. 321. Pietro Napoli-Signorelli alabaría la sencillez de la acción de *El viejo y la niña* con expresivas palabras: «La sencillez de la acción anuncia la fecundidad del pintor que no hubo menester representar el juicio universal, ni el incendio de Troya, ni la guerra de los gigantes para manifestar el primor de su pincel», en *Obras póstumas*, I, pág. 85.

media nueva[32], seguramente para ampararse —por medio de la dedicatoria a Godoy— en la protección del poderoso Príncipe de la Paz ante los previsibles riesgos de una campaña contra la obra. La volvería a publicar al año siguiente, 1806, con un éxito editorial que se repetiría en las sucesivas reediciones, desencadenando escritos tanto en su contra como elogiosos; algunos de ellos se publicaron en la prensa periódica, otros quedaron manuscritos. Pero también provocó la denuncia inquisitorial al remitir José Antonio Caballero, ministro de Gracia y Justicia, uno de esos escritos, la *Carta crítica de un vecino de Guadalajara* de Bernardo García, al inquisidor general. Salió bien librado del primer embate (gracias a la intervención de Godoy, según Silvela), aunque la Inquisición, restaurada por Fernando VII, acabaría prohibiendo la obra en 1819 tras un juicio en el que Moratín no pudo presentar alegaciones.

La denuncia al Santo Oficio, a pesar de su resolución favorable, habría sido la causa, según afirma Silvela expresando supuestamente el sentir de Moratín[33], de que *El sí de las niñas* se convirtiera en su última comedia original. Cabe pensar también en otra razón: la autoexigencia de Moratín. Partidario de la contención creativa («Escribir mucho significa lo mismo que escribir mal»)[34], había alcanzado la gloria literaria con *El sí...* y no se sentiría seguro de superarla:

> Aproveche [el autor dramático] para componer aquellos pocos, breves y felices momentos en que la disposición del ánimo lo consiente; sea él mismo el juez más rígido de sus obras. Y ¿cuántas, haciendo esto, necesitará publicar para merecer el concepto de insigne poeta? Una, si es buena[35].

En algunos de los escritos que circularon a raíz del estreno de la obra se trató de identificar el modelo utilizado por Moratín. Se le acusó de haberse servido de una supuesta comedia

---

[32] «D. ELEUTERIO. [...] ¿Pues no se había de imprimir? D. PEDRO. Mal hecho. Mientras no sufra el examen del público en el teatro, está muy expuesta», *La comedia nueva*, I, 3, pág. 117.

[33] En *Obras póstumas*, págs. 36-37.

[34] «Notas a *La comedia nueva*», en *La comedia nueva*, ed. Dowling, pág. 170.

[35] «Notas a *La comedia nueva*», pág. 171.

manuscrita —no conservada— de su padre, de una obra francesa, *L'oui des couvents,* que nadie ha podido encontrar, o de una pieza en un acto de Marsollier, *Le traité nul,* representada en París en junio de 1797 y traducida en 1802[36].

La crítica ha puesto de manifiesto otras influencias más plausibles: la de Molière y Marivaux y la de algunas comedias españolas del Siglo de Oro, en especial, *Entre bobos anda el juego* de Rojas Zorrilla, con alguna semejanza estructural pero muy diferente enfoque.

La relación con Molière, por quien Moratín siente admiración, es más difusa y general, en modo alguno el punto de partida de *El sí de las niñas.* La influencia más clara es, sin duda, la de una comedia en un acto de Marivaux, *L'école des mères,* que Moratín conocería probablemente a través de la traducción de 1779 (Andioc, 1968: 141). Había sido apuntada por Sánchez Estevan [1928: 6] y comentada de manera independiente pero complementaria por Gatti [1941] y Laborde [1945], el primero centrándose en mayor medida en lo estructural y formal y el segundo en los personajes[37]. Más recientemente, Bittoun-Debruyne [1998] ha hecho una pormenorizada revisión de las opiniones planteadas, reafirmando el papel relevante de *L'école des mères* y destacando la influencia —sugerida por Lázaro Carreter— de otra comedia de Marivaux, *La mère confidante,* por la gran importancia del sentimiento y del

---

[36] Andioc [1968: 137-140] expone las coincidencias entre la obra de Marsollier y la de Moratín, relativizando su posible influencia.

[37] Gatti [1941: 142-147] concreta las semejanzas en diversos aspectos (además de un mismo esqueleto argumental): idéntico número de personajes y caracteres semejantes (a excepción de Calamocha y Frontin); la misma diferencia de edad entre las jóvenes y los viejos con quienes pretenden casarlas; la alusión a la posible esterilidad de las uniones; la educación represiva de las jóvenes; el error de las madres al interpretar la tristeza de las hijas; el interés como el móvil de las madres, por lo que ponderan las ventajas de la boda y las cualidades del futuro esposo; el elogio de un marido entrado en años; el secreto de su proyecto por parte de los viejos; el agradecimiento de las madres hacia los pretendientes; el interés de estos en averiguar el verdadero sentimiento de las jóvenes; la confianza de los enamorados de las muchachas en su padre o tío para resolver el conflicto, cuando estos son sus rivales; la reacción airada y violenta de las madres al enterarse del amor entre los jóvenes y su conformidad al conocer el parentesco entre los enamorados y sus rivales.

tema de la educación de la mujer, además de un rasgo común a las tres obras: la renuncia a la boda por parte de los pretendientes oficiales[38]. Desarrolla en conclusión la idea alcanzada por Laborde [1945: 144] de *El sí...* como una adaptación de Marivaux particularmente conseguida, que no empece en absoluto por ello el valor de la comedia de Moratín. Su concepto de adaptación no es peyorativo, sino que indica la transformación de unos materiales preexistentes con unos propósitos bien distintos. Lo que está en sintonía con el concepto de imitación de Moratín, bien explicado por él mismo:

> Lo que se llama inventar en las artes no es otra cosa que imitar lo que existe en la naturaleza o en las producciones de los hombres que la imitaron ya. El que se proponga no coincidir nunca en lo mismo que otros hicieron se propone un método equivocado y absurdo y el que huya de acomodar en sus obras las perfecciones de otro artífice, pudiendo hacerlo con oportunidad, voluntariamente yerra. Terencio dijo en uno de sus prólogos: «Nullum est jam dictum quod non dictum sit prius» [...] El que no estudia por buenos principios la razón de las artes nada de esto entiende y, luego que halla en cualquiera obra algún pasaje que tenga semejanza con otro, eso le basta para llamar plagio, copia, robo execrable, lo que es tal vez prueba de talento, de profunda meditación[39].

Si el germen de *El viejo y la niña* podría haber sido un episodio de la vida de Leandro (Dowling, 1976): el matrimonio de su amada Sabina Conti con Juan Bautista Conti (de treinta y nueve años, el doble de la edad de Sabina)[40], las explicaciones de carácter biográfico de *El sí de las niñas* no resultan tan plausibles, al menos en lo que respecta al núcleo esencial de la obra. Fue Patricio de la Escosura [1877] quien lanzó la hipótesis de que la comedia reflejaría el amor de Leandro ha-

---

[38] Por su parte, Deacon [1999: 146 n.] señala una significativa diferencia respecto de *L'école des mères:* el personaje de Mme. Argante carece de la importancia estructural y cómica de su correspondiente en Moratín, doña Irene.

[39] En «Notas a *El viejo y la niña*», en *Obras póstumas*, pág. 82.

[40] Aunque es preciso tener en cuenta que el tema del matrimonio desigual en edad —y fortuna— era de absoluta actualidad, lo que explica su abundante presencia en la prensa, la literatura y el arte (Andioc, 1976: 435-436 y Martínez Mata, 1990).

cia la joven Francisca Muñoz, a quien habría empezado a tratar —casi siempre acompañada de su insufrible madre, María Ortiz— en 1798 y con las que mantendría una perdurable familiaridad a lo largo de su vida, continuada epistolarmente cuando Moratín se ve obligado a abandonar Madrid en 1812. La protagonista de *El sí...* conservaría el nombre de Paquita Muñoz, doña Irene sería un trasunto de doña María Ortiz y don Diego del propio Leandro (aunque la diferencia de edad es notable: frente a los cincuenta y nueve de don Diego, Moratín tenía cuarenta y uno cuando lee la comedia a sus amigos por primera vez). Esta tesis, reiterada con frecuencia, ha sido rechazada al darse a conocer los modelos literarios —mucho más acordes con la comedia que el episodio biográfico— y cuando se resaltaron las incongruencias de esta interpretación: la diferencia de edad es mucho menor, Leandro no interrumpe la relación —que no parece impuesta por la madre—, etc. Las circunstancias de la vida de Moratín le han servido, en cambio, a Sebold [1980] para esclarecer el realismo de la comedia a través de los perfiles psicológicos de los modelos reales (y del estudio de los pormenores de la obra).

Cabe plantearse, sin embargo, que, aun cuando no se produjera la situación de la comedia —fundamentalmente que Paquita Muñoz no tuviera un joven pretendiente—, Moratín estuviera transfigurando en don Diego su propia situación: la renuncia a un matrimonio, seguramente bien visto por madre e hija, por considerarlo impropio a causa de la diferencia de edad. Leandro, sin ser propiamente un «viejo» como don Diego o don Roque, doblaría los años de la joven: cuarenta y uno frente a los veinte de Paquita Muñoz. Su situación se asemejaría, amargamente para él, a la de Juan Bautista Conti al casarse con Sabina (en 1780) y, casi, a la de su tío Nicolás Miguel en su matrimonio con Isabel de Carbajal (en 1786), del que se había burlado sarcásticamente. Parece que Paquita Muñoz, a diferencia de la ficticia doña Francisca, no tenía pretendiente próximo en edad (por mucho que lo creyera indudable Patricio de la Escosura, 1877: 231); pero Moratín habría temido verse algún día en la situación del despreciable don Roque de su primera comedia.

Leandro podría haber percibido el despropósito de su matrimonio con Paquita Muñoz, no porque fuera impuesto atropellando los sentimientos de la joven como en *El sí...*, sino porque sería consciente de que el amor de una muchacha de veinte años por él estaría constituido en su mayoría por admiración y por un sentimiento más próximo al amor filial que a la pasión. El don Diego de *El sí...* es consciente de que no puede aspirar más que a la «estimación» y la «amistad» de doña Francisca[41], y el desasosiego que no le deja dormir (I, 2, pág. 81) —cuando aún no sabe que el sobrino es su rival— podría reflejar la incertidumbre de Leandro acerca de la auténtica naturaleza de su relación con Paquita Muñoz. Cuando, años más tarde, su querida prima Mariquita le pide consejo ante sus dudas sobre el proyectado casamiento con José Antonio Conde (con una diferencia entre los dos de veintisiete años), Leandro le da una clara respuesta, que podría evidenciar lo que se habría planteado respecto a los verdaderos sentimientos de Paquita Muñoz (al igual que el don Diego de la comedia se preocupaba por conocer los de doña Francisca): «¿Tú estás enamorada de él, o no? Si no es más que estimación la que le profesas por sus buenas prendas, no te cases con él» *(Epistolario,* pág. 332).

Podríamos pensar que, si Leandro no se decide a un matrimonio con Paquita Muñoz, la causa no sería el preservar su libertad (como supone Lázaro Carreter, 1961), sino la resignación a desempeñar otro papel, el de una familiaridad casi de carácter paternal, obligado no por un joven rival sino por la dolorosa conciencia de que repetiría una situación que le parece inaceptable y de la que él se ha burlado. De ahí que siga manteniendo un frecuente trato con madre e hija, y también su dolor cuando su amigo Juan Antonio Melón le comunica que Paquita se va a casar[42].

Ciertamente, y aun cuando no se debe olvidar que el problema de los matrimonios impuestos contra la libertad de elección de los jóvenes era un tema de viva actualidad en la época, es una preocupación sentida de un modo muy íntimo

---

[41] «[...] espero que a fuerza de beneficios he de merecer su estimación y su amistad» (II, 5, pág. 130).

[42] En su *Diario* recoge su llanto y pesar: «Planximus, ego tristis» (7 de septiembre de 1807).

la que le lleva a Moratín a plantearlo de manera predominante en sus comedias —y a buscarlo en sus modelos.

El espacio en que se desarrolla la comedia es un único escenario: una sala de paso en el primer piso de una posada a la que dan cuatro paredes de habitaciones y las escaleras que conducen al bajo. A pesar de las limitaciones físicas, es un lugar de cruce que favorece el diálogo y la acción y en el que están presentes tanto las confidencias íntimas de los personajes que se encuentran, como el mundo exterior a través de las salidas y llegadas[43].

El tiempo dramático se extiende desde el atardecer hasta el alba, un período mayor, por tanto, que el de la representación, en un entendimiento de la unidad de tiempo más en la línea de Aristóteles que en la restrictiva de Luzán. El transcurso temporal adquiere, además, otra dimensión significativa con el valor simbólico de la luz (señalado por Casalduero, 1957: 49): la oscuridad que se presenta con el anochecer coincide con la desolación de los jóvenes, la llegada del amanecer marcará los pasos de don Diego para restablecer la racionalidad (y la felicidad de los protagonistas). Símbolo —el de la luz que se impone a las tinieblas— cargado de significación en una época que lo convierte en divisa identificadora[44].

Las indicaciones de Moratín para el decorado son las imprescindibles para recrear con verosimilitud el ambiente de una posada, y en el diálogo saldrán a relucir los habituales inconvenientes de las ventas[45]. En la misma línea de verosimilitud, el vestuario de los personajes corresponde al que llevarían en la realidad: en las acotaciones se mencionan las man-

---

[43] «El carácter de encrucijada inherente a tal escenario permite los encuentros involuntarios o preparados de los personajes, encuentros que no son sino consecuencia y símbolo de las intersecciones de sus respectivos destinos» (González Herrán, 1984: 155-156).

[44] El término *luces (Lumières, Aufklärung, Iluminismo, Luces* en Portugal) o *Ilustración*, recoge un concepto que desde el primer valor de 'capacidad o inteligencia personal' y 'proyectar luz sobre algo', respectivamente, acaba representando una actitud intelectual: la voluntad de pensar por sí mismo, el rechazo de los prejuicios.

[45] «La mugre del cuarto, las sillas desvencijadas» (I, 1, pág. 68); «Colección de bichos más abundante no la tiene el Gabinete de Historia Natural» (I, 7, pág. 97); el calor agobiante en las habitaciones (III, 1, págs. 167-168).

tillas y basquiñas de las mujeres cuando vienen de la calle, el sombrero y bastón de paseo para don Diego y la bata cuando sale de su cuarto por la noche.

La utillería o *atrezzo* es muy reducida, según se desprende de las acotaciones o del diálogo: utensilios habituales en esas circunstancias; pero hay otros que desempeñan un papel en la trama argumental como desencadenantes o coadyuvantes de determinados acontecimientos (González Herrán, 1984: 157): la llave que requiere el forcejeo de Rita provoca la ayuda de Calamocha y, como consecuencia, el reconocimiento mutuo; la jaula del tordo, además de permitir analogías del comportamiento del pájaro con el carácter de doña Irene, será el obstáculo contra el que tropieza Simón revelando su presencia en la escena del diálogo amoroso a través de la ventana; la carta arrojada por don Carlos a Paquita desde el exterior, que acaba en manos de don Diego, será el elemento que facilita la resolución feliz del conflicto al informar a éste del amor de los jóvenes.

El tema de la comedia es el de la imposición paterna en el matrimonio, frente a lo natural y lo racional: el amor entre los jóvenes. Esta imposición es calificada significativamente como «violencia e injusticia» por un personaje de *La mojigata*, don Luis (el hombre maduro que representa el proceder de la razón, como don Diego)[46]. Moratín, por medio del personaje de don Diego y en contraste con doña Irene, defiente la tesis de que la autoridad —en este caso, la paterna— debe ejercerse de una manera no despótica, tamizada por la razón.

Estrechamente relacionado aparece el tema de la educación. En la comedia se ofrecen dos modelos bien distintos, representados en la educación recibida por don Carlos y doña Paquita. Don Carlos es capaz de un sacrificio más duro que el de la propia vida —el de su amor— en aras del deber. Su comportamiento es resultado de los valores infundidos por su tío: «[...] nunca olvidaré las máximas de honor y prudencia que usted me ha inspirado tantas veces» (II, 11, pág. 150).

Por el contrario, el resultado de la educación recibida por doña Paquita es la disimulación, explicado en palabras de

---

[46] «Esa autoridad [la de los padres para concertar matrimonios] se templa / en estos casos, pues todo / lo demás fuera violencia / e injusticia» (I, 1).

don Diego: «Ve aquí los frutos de la educación. Esto es lo que se llama criar bien a una niña: enseñarla a que desmienta y oculte las pasiones más inocentes con una pérfida disimulación» (III, 8, pág. 189).

Esa educación se caracteriza por ignorar aspectos básicos de la vida (en algo tan esencial como el amor —y la formación de una familia— tiene que realizarse *a hurtadillas* por fuentes tan poco recomendables como las *novelas,* I, 9) y por ir unida a la violencia: en el acto II doña Irene amenaza con matar a golpes a su hija y en el último trata de golperla.

Las consecuencias de estos métodos estaban indicadas ya en *La mojigata:* el «rigor» produce «disimulación, cautelas»; «la frecuencia del castigo, vil temor» (I, 1).

La acción de la comedia se resume en el proyectado matrimonio de una joven de dieciséis años, doña Francisca, con un acaudalado burgués de cincuenta y nueve; enlace al que la muchacha se ve abocada —por la obediencia y amor a su madre, doña Irene—, aunque está enamorada de un joven militar, don Carlos, algo que sólo conocen los criados de los jóvenes, Rita y Calamocha. Cuando don Carlos acude en ayuda de doña Francisca, avisado por la carta de ésta, descubrirá que el rival es su tío y tutor, por lo que su sentido de la obediencia le obliga a renunciar a su amada. Sólo la cordura y sensatez de don Diego —y su sacrificio— podrá resolver lo que se encaminaba a la ruptura de un orden racional y natural[47].

Es una acción única, en la que los diversos episodios, con un desarrollo muy bien graduado de la trama argumental, están encaminados al progreso de la acción y al desarrollo de los caracteres. A este desarrollo contribuye la habilidad de Moratín en el movimiento de personajes, cuyas apariciones, ausencias y ocultamientos, sin que resulten en absoluto forzados, permiten que se mantenga el interés y que la trama aparezca como verosímil. González Herrán (1984: 150-154) ha estudia-

---

[47] Pérez Magallón (1994: 61) señala el parecido con el arranque de la comedia barroca: una situación de desorden que deberá resolverse mediante la restauración del orden. En *El sí...*, a diferencia de *El viejo y la niña*, se trata de una amenaza inminente —no de una situación irreparable—, porque el matrimonio no se ha efectuado todavía.

do con finura el original uso de antiguas convenciones teatrales como el malentendido, la puesta en antecedentes y la premonición o anuncio involuntario: un personaje dice algo que, sin él saberlo, se confirmará en escenas posteriores o plantea una hipótesis para él inverosímil, pero que el espectador sabe que es cierta, tal como ocurre al dirigirse doña Irene a su hija en términos irónicos que adquieren un sentido muy distinto para el espectador al estar al corriente del amor entre doña Francisca y don Carlos: «Cuéntale los novios que dejaste en Madrid cuando tenías doce años y los que has adquirido en el convento al lado de aquella santa mujer» (II, 5, pág. 128).

El malentendido de Simón, cuando adivina que don Diego le va a confiar sus planes de boda para doña Francisca (que aprueba porque equivoca la identidad del planeado esposo), no sólo resulta un anuncio del desenlace, sino que provoca los celos de don Diego hacia quien todavía no sabe que es su rival y sugiere el conflicto entre un joven cargado de cualidades positivas y un viejo que se conduce aparentemente por impulsos egoístas.

La habilidad de Moratín para conducir la trama puede apreciarse también en el manejo de los contrastes[47 bis]. Así, frente a la divertida escena (II, 10) en la que fracasan los intentos de las dos partes —Simón por un lado, don Carlos y Calamocha por el otro— de averiguar el propósito del otro, la aparición de don Diego al comienzo de la escena siguiente, saliendo de la habitación en la que Paquita le había dicho que estaba su prometido, le revela a don Carlos instantánea y dolorosamente la identidad del rival. En el mismo acto II, el optimismo de doña Francisca —confiada en su amado— se troca de inmediato en desolación al conocer su desgracia: don Carlos y su asistente se han ido (sin que ella pueda saber la causa real, al contrario que el espectador).

Moratín cierra, de este modo, el acto II con la tensión que produce la desesperanza de Paquita, mientras que el primero había acabado mostrándonos la expectación ilusionada de la protagonista al enterarse de la presencia de su amado en la posada. Hace coincidir, por tanto, las pausas

---

[47 bis] Examinados con más detenimiento en Martínez Mata (en prensa).

con momentos relevantes —de signo contrario— para mantener el interés.

Igualmente, conseguirá elevar la tensión antes del final feliz con la escena (III, 10) en la que don Diego pone a prueba el verdadero sentimiento de su sobrino al reafirmar sus propósitos de matrimonio —cuando ya ha renunciado a ellos—, actitud que permitirá ofrecer la reacción emotiva de don Carlos y mostrarlo en toda su dignidad: su renuncia a Paquita, forzada por su sentido del deber y de la obediencia, se convierte en renuncia a la propia vida.

Frente al abigarrado desfile de personajes de las comedias populares de la época, Moratín presenta únicamente siete, lo que facilita que puedan ser delineados con precisión y realismo[48]. La claridad que pretende la comedia neoclásica rechaza también la acumulación de personajes en escena, de modo que hablen no más de dos o tres[49]. En *El sí de las niñas* sólo se reúnen en el escenario un número mayor —cinco— en un momento de especial trascendencia: la escena final. Moratín persigue con el mayor cuidado la economía dramática, limitando la presencia de personajes que no intervienen de un modo directo en la acción[50].

Salvo los criados, pertenecen todos ellos a las clases medias, algo que los espectadores reconocerían al momento en el vestuario (las *mantiñas* y *basquiñas* de las mujeres). El conflicto sentimental se centra en tres de ellos (los dos jóvenes, doña Francisca y don Carlos, y el «viejo», don Diego). La madre de la joven, doña Irene, queda en un segundo plano en el desarrollo de la acción, pero es el contrapunto cómico que

---

[48] Para evitar complicaciones irrelevantes que puedan dispersar la atención, la comedia neoclásica propugna un máximo entre ocho y diez personajes: «El número de ocho u diez personas será bastante y tolerable; lo que pase de ahí, será exceso y confusión», Luzán, *La poética*, pág. 515.

[49] «Porque en pasando de tres que hablen, es confusión y embarazo para la representación», Luzán, *La poética*, pág. 514.

[50] De este modo justifica la ausencia de una criada en una escena de *El viejo y la niña:* «La razón de conveniencia es no presentar en la escena personajes inútiles. [Su presencia sería inoportuna porque,] no teniendo un interés directo en lo que resta de acción, no podría decir ni hacer cosa de importancia. Lo que es inútil en la economía dramática es conocidamente perjudicial», en *Obras póstumas,* I, pág. 84.

realza la figura de don Diego (Deacon, 1999: 146). Los criados, Rita, Calamocha y Simón, encarnan buena parte de la comicidad de la obra, aunque muy lejos del relevante papel que desempeñan en el teatro barroco.

Don Diego es, sin duda, el personaje de mayor complejidad y relieve. Al fin y al cabo, su sacrificio permitirá recuperar la racionalidad y facilitará la felicidad de los jóvenes. Es un acaudalado burgués de cincuenta y nueve años que pretende casarse con una joven de dieciséis. Con todo, no se parece al avejentado y odioso don Roque de *El viejo y la niña;* aunque muestra su preocupación acerca de si podrá ser padre a su edad[51]. El temor expresado no era una cuestión puramente personal sino que adquiría una dimensión social muy importante para los ilustrados, en cuanto que relacionaban el desarrollo económico con el demográfico, de ahí la trascendencia social de los matrimonios de edad desigual.

El despropósito de su proyectado matrimonio, a pesar de su amor hacia Paquita y de sus cualidades positivas, queda puesto de manifiesto en el relato de doña Irene de sus fracasados enlaces (del primer marido enviuda a los siete meses, y de los tres matrimonios —los otros dos se adivinan semejantes al primero— el resultado es que sólo sobreviva Paquita de un total de veintidós hijos, I, 4).

Por lo demás, él mismo se muestra consciente de no poder obtener el amor de la joven, de verse obligado a aspirar únicamente a una especie de felicidad hogareña («[...] espero que a fuerza de beneficios ['mercedes'] he de merecer su estimación y su amistad», II, 5, pág. 130).

Sin embargo, resulta indudable su amor por Paquita, como se revela en su reacción llena de enojo —a pesar de que ya ha decidido su renuncia— a las palabras de don Carlos respecto de que Paquita seguiría enamorada de él aunque se comportara como una buena esposa (III, 10). Del mismo modo, el descubrimiento del amor entre los jóvenes le produce no sólo perplejidad y frustración, sino fundamentalmente celos (III, 4).

En tanto que tutor de don Carlos, encarna la autoridad

---

[51] Hace un comentario de alivio cuando doña Irene cuenta que su primer marido, de cincuenta y seis años, la había dejado encinta (I, 4).

familiar, con lo que ello representaba en la época: imagen de la real (el monarca se presentaba, a su vez, como «padre» de sus súbditos). Si se muestra autoritario con su sobrino (II, 11 y II, 12), se explica por los celos hacia el posible rival que el malentendido de Simón en la primera escena le ha hecho presente. Siente un profundo afecto por su sobrino: llora de emoción con sus éxitos (I, 1), se preocupa vivamente porque hubiera podido ocurrirle algo (II, 11) y se duele de tener que ordenarle su partida (III, 1).

Es, pues, un hombre sensible que sabe sacrificar sus deseos en aras de lo racional. Por ello, renunciará a sus propósitos —y a sus sentimientos— para facilitar la felicidad de los jóvenes, después de que previamente intente por todos los medios a su alcance conocer si la voluntad de Paquita está conforme con el concertado matrimonio, propósito que se frustra por la palabrería insustancial de doña Irene (pretendiendo lo contrario: imponer sus deseos egoístas, indiferente a la infelicidad de su hija).

Doña Francisca es un personaje cuyo carácter se muestra en sus actitudes y sus palabras, pero también en la forma en que la ven los demás, aunque esa forma está condicionada por determinadas limitaciones: en el caso de don Diego, por su escaso trato con ella, y en el de su madre, por su propia personalidad. Don Diego destaca el *candor*, la *inocencia* y el *talento*[52]; doña Irene, en cambio, la considera *una simple* (II, 1, pág. 113), lo que podemos entender, viniendo de quien viene, como carente de astucia o picardía[53]. Las cualidades señaladas por don Diego nos explican la complejidad del personaje, que se debate entre la obediencia y afecto a su madre y el amor a don Carlos. Es una muchacha inocente, educada en un convento de monjas, incapaz de contradecir a su madre, pero también la joven que sabe lo que es el amor y que dialoga con don Carlos como una mujer enamorada, lo que sería inexplicable

---

[52] «Es muy linda, muy graciosa, muy humilde... Y sobre todo, ¡aquel candor, aquella inocencia! Vamos, es de lo que no se encuentra por ahí... Y talento... Sí señor, mucho talento...» (I, 1, pág. 70). No es que su ideal femenino sea limitado, es que tampoco habría tenido ocasión de advertir otras cualidades.

[53] La falsedad que los contemporáneos de Moratín consideraban casi inherente a la mujer.

si no fuera por la madurez que le proporciona el *talento* (y la ayuda de las *novelas* leídas *a hurtadillas).* Para resolver su conflicto ha pedido la ayuda de su amado, la única salida a su alcance en su condición de huérfana sin medios económicos (fuera de ingresar en un convento)[54]. Su amor hacia don Carlos es absolutamente desinteresado, puesto que desconoce quiénes son sus parientes y su fortuna[55]. Frente a los móviles egoístas de su madre, Paquita exclama: «¿Y qué vale para mí toda la riqueza del mundo?» (II, 7, pág. 137).

Don Carlos fue desde muy temprano el personaje más incomprendido por la crítica. Desde Larra [1834: 384] han sido muchos los que no han captado en toda su dimensión al personaje, al suponer que todo su ímpetu se desvanece ante la presencia del tío: «No parece natural que un teniente coronel fuese tratado como un chico de la escuela ni recibiese las dos o tres onzas [una considerable cantidad de dinero] para ser bueno.» El juicio ha cambiado a partir de que Andioc [1976: 444-462] lo mostrara en sus cualidades positivas y como contrapunto del galán calderoniano.

Su personalidad, al igual que la de Paquita, aparece delineada en la primera escena de la comedia, en la conversación entre don Diego y su criado Simón. Ahí aparece caracterizado con las cualidades positivas que adornarían a un joven ilustrado: *talento,* instrucción, *amabilísimo por todas sus circunstancias,* enseña matemáticas y se refiere el valor demostrado como soldado. Tiene una profesión, militar, en la que puede hacerse a sí mismo, libre de los vaivenes de los cortesanos y de la aristocracia. De un modo sintomático presenta unas sorprendentes coincidencias con la figura de Cadalso, íntimo amigo de Nicolás Moratín y a quien Leandro podría haber conocido con admiración en su niñez[56].

---

[54] Por eso agradece la proposición de don Diego: «Gracias, señor don Diego... ¡A una huérfana, pobre, desvalida como yo!...» (II, 5, pág. 130).

[55] Tal como explica don Carlos a su tío (III, 10).

[56] Si don Carlos enseña matemáticas (¿en su regimiento?, ¿en una academia militar?), Cadalso era un militar con una amplia formación cosmopolita que defendía la ciencia moderna frente al atraso de las universidades y consideraba a las matemáticas como base de las ciencias *(Cartas marruecas,* LXXVIII, pág. 193. Había sido propuesto como profesor de la Academia Militar de Ar-

El comportamiento de don Carlos va a desmentir, en cambio, la presentación que de él hace su asistente (I, 8), que le situaría en el ámbito del teatro áureo (dispuesto a llevarse todo por delante, cegado por su pasión juvenil)[57] y del majismo (en el desenfado con el que Calamocha se refiere a Paquita: «Es necesario que mi teniente venga a cuidar de su hacienda»).

La explicación de su comportamiento, que tan incomprensible ha resultado a muchos críticos, se debe a la condición más apreciable del valor (superior al probado en el campo de batalla): el que demuestra al dominar sus sentimientos y subordinarlos al deber filial.

El dominio de sus impulsos se revela ya en su primer encuentro en la escena con Paquita. En una actitud contraria a la de los galanes barrocos, muestra respeto hacia un rival al que todavía no conoce y se preocupa por no poner en peligro la honra de la joven[58].

Doña Irene es el contrapunto cómico de don Diego[59], su función no es sólo la de provocar la risa sino resaltar la sensibilidad, cordura y generosidad de don Diego. Aparece carac-

---

tillería de Segovia (¿de matemáticas?, él no era artillero). Durante un tiempo, también su regimiento se situó en las cercanías de Zaragoza (aunque trata de quedarse en Madrid todo lo que puede). Don Carlos, nada más llegar a Alcalá, visita a un amigo del Colegio Mayor de San Ildefonso; Cadalso había sido bien acogido en el cuarto de un colegial del mismo. Don Carlos es premiado por su valor con el ingreso en la orden militar de Alcántara, Cadalso, por su parte, trató de ingresar en alguna de las órdenes militares. Finalmente, don Carlos se enamora de una joven sin fortuna, mientras Cadalso lo hace de una joven actriz (contra lo que se podía esperar de alguien relacionado con el presidente del gobierno y con la aristocracia). Incluso podríamos ir más allá en este paralelo: ambos son huérfanos y tienen como tutor a un adinerado tío (¡con el mismo nombre!); sin embargo, Cadalso nunca se sintió querido ni protegido por su tío, *Diego* de Cadalso.

[57] «[...] celoso, amenazando vidas... Aventurado a quitar el hipo a cuantos le disputen la posesión de su Currita idolatrada» (I, 8, pág. 100).

[58] «DOÑA FRANCISCA. [...] ¿Qué piensa usted hacer? DON CARLOS. Si me dejase llevar de mi pasión y de lo que esos ojos me inspiran, una temeridad... Pero tiempo hay... Él también será hombre de honor, y no es justo insultarle porque quiere bien a una mujer tan digna de ser querida [...] Su decoro de usted merece la primera atención» (II, 7, pág. 135).

[59] El personaje ha sido estudiado con detalle por Deacon [1999], resaltando también el interés que se tomó Moratín en preparar con la actriz María Ribera el papel de doña Irene para el estreno: un énfasis excesivo en

terizada por su verborrea insustancial y egocéntrica, que estorba —interesadamente— el propósito de don Diego de averiguar los sentimientos de Paquita. A través de ella, se proyecta la sátira de la beatería y santurronería, extensible a la parentela religiosa.

Si bien es ella la que impone el matrimonio a Paquita, su relevancia en la acción queda disminuida considerablemente en el tercer acto: duerme plácidamente mientras se está gestando el desenlace y don Diego está disponiendo las cosas para que así sea, y, cuando se levanta, al anunciarle éste que hay novedades, vuelve a emplear su táctica de distracción refiriendo sus achaques.

Frente al sacrificio de don Diego, su interés por Paquita es puramente egoísta. A pesar de su aparatosa religiosidad, rechaza —en beneficio propio— la vocación religiosa que supone en su hija: «En todos los estados se sirve a Dios, Frasquita, pero el complacer a su madre, asistirla, acompañarla y ser el consuelo de sus trabajos, ésa es la primera obligación de una hija obediente» (II, 4, pág. 120).

Ese mismo egoísmo que preside la relación con su hija se revela sarcásticamente en el final de la comedia cuando la cólera producida por la revelación de los amores de Paquita se calma al instante al enterarse de que las comodidades con que ha soñado en casa de don Diego están aseguradas: «¿Conque su sobrino de usted?...» (III, 13, pág. 212).

Si la presencia de los criados en la comedia resulta inevitable, por la distensión cómica que producen y por su papel de confidentes o adyuvantes de la acción, Moratín va a rehacer unas pautas excesivamente codificadas, modificando su función teatral y reflejando una nueva concepción de la sociabilidad.

Simón, el criado de don Diego, es confidente y consejero de su amo, actuando en cierto modo como si fuera su proyección. El aprecio que merece a su amo está expresado en el hecho de que le juzgue *hombre de bien* (I, 1), el nuevo modelo social y moral de la Ilustración. Es un decidido valedor de don Carlos (como si evidenciara lo que piensa don Diego de su so-

---

lo cómico hubiera relegado en un segundo plano a don Diego (y la tesis de la comedia).

brino) y su única actuación cómica se produce por no revelar los propósitos de su amo (tal como éste le había encargado).

Rita, la criada de las mujeres, y Calamocha, asistente de don Carlos, tienen en común la juventud. Rita interpreta fielmente el sentir de Paquita en su papel de confidente y consejera, estableciéndose finalmente entre las dos la relación que los ilustrados[60] valoraban en un mayor grado: la amistad[60]. Colabora, además en los amores secretos de su señora y, con sus comentarios, realza el carácter ridículo de doña Irene.

Calamocha, que irrumpe bruscamente en la comedia con una cómica y simpática expresividad, perderá protagonismo gradualmente, desapareciendo de la escena antes del desenlace, quizá para resaltar que, frente a las costumbres de la comedia barroca, no va a producirse la boda entre los sirvientes.

La función cómica de los criados adquiere también una dimensión estructural. El diálogo entre Rita y Calamocha (I, 8), además de aportar frescura y verosimilitud (y un guiño a ciertos espectadores), representa con su carácter levemente desvergonzado el contraste necesario para resaltar la ternura y el lirismo de las palabras entre don Carlos y Paquita (II, 7).

El sí de las niñas es, pues, una comedia de costumbres, que propone «una moral practicable», se atiene a las pautas neoclásicas y ofrece perspectivas inequívocamente ilustradas. Resulta evidente «lo poco romántica que es la comedia moratiniana» (Pérez Magallón, 1994: 87), a pesar de la opinión de los críticos que no han sabido ver que los elementos sentimentales de la obra no tienen nada de romántico, ni tan siquiera anticipan el Romanticismo. La exaltación del sentimiento que se produce en Europa desde mediados del XVIII no se opone a la razón, al contrario, es un componente esencial de la Ilustración.

---

[60] En el final de la comedia, Paquita se arrodilla y besa la mano de su madre, en señal de respeto filial, pero su última intervención estará destinada a Rita: «Siempre, siempre serás mi amiga» (III, 13, pág. 214).

Esta edición

De *El sí de las niñas* no se conserva ningún testimonio manuscrito. En cambio, los testimonios impresos nos ofrecen la forma en la que el autor fue depurando su obra, incluso cómo pudo corregir algunos aspectos después de la experiencia de su representación. La primera edición (O_1) apareció a finales de 1805 (Madrid, Villalpando)[61], con anterioridad a su representación, el 24 de enero de 1806. Si la edición se produce poco antes que el estreno, frente al criterio expresado por el propio Moratín en *La comedia nueva* (I, 3), habría que buscar la causa en el propósito de mostrar la protección de Godoy, que había aceptado la dedicatoria, para evitarse cualquier campaña en su contra como había ocurrido con otros estrenos[62].

También en Madrid, en la misma imprenta de Villalpando, saldría en 1806 la segunda edición (O_2), que tuvo un éxito inmediato[63] y que se convirtió en el modelo de las doce que vendrían después hasta la de París, Augusto Bobée, 1825 (O_3), que se presentaba como «única reconocida por el autor»[64]. Este testimonio supone una nueva fase en el proceso de corrección de la obra por parte del autor: el tercer estadio redac-

[61] La dedicatoria está fechada el 28 de noviembre.
[62] Véase *Epistolario*, pág. 126.
[63] Las cuatro ediciones de 1806 de que habla Moratín en la Advertencia serían cuatro reimpresiones.
[64] En *Obras dramáticas y líricas de don Leandro Fernández de Moratín*, en tres tomos *(El sí de las niñas*, en el tomo I, págs. 201-338).

cional, cuyo paso previo —segundo estadio redaccional— estaría constituido por la edición de 1806 (O_2). Las correcciones que efectúa Moratín son de dos tipos: por un lado, las que tratan de mejorar la obra y, por otro, las que eliminan o atenúan algunas frases o pasajes que los censores inquisitoriales habían considerado reprobables. Respecto de las primeras, las de naturaleza específicamente literaria, la mayoría van en la línea de favorecer o mejorar el desarrollo dramático, suprimiendo anticipaciones inconvenientes e incongruencias que pudieran afectar a la verosimilitud (Dowling, 1980: 110-112), otras son meros retoques estilísticos. De la edición de 1825 hay un ejemplar, conservado en la Biblioteca Nacional (R-2571/3), con correcciones autógrafas de Moratín (si bien corresponden, en su mayoría, a las acotaciones y a su propósito de colocarlas en nota al pie), que reflejaría el último estadio redaccional (O_4).

Así pues, el *stemma* de *El sí de las niñas* sería —prescindiendo de las copias *(descripti)*— el siguiente:

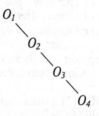

La presente edición utiliza como testimonio base el ejemplar con correcciones autógrafas de Moratín (O_4), que corresponde a la última voluntad del autor, sin tener en cuenta variantes de ediciones posteriores, ajenas por completo a Moratín y, por tanto, sin ningún valor ecdótico en el establecimiento del texto. Reflejo, en cambio, las variantes de autor de mayor relieve en las notas al pie con el fin de que puedan apreciarse los cambios de Moratín en las diferentes redacciones.

Respecto de las acotaciones, a pesar de la voluntad de Moratín de situarlas en nota a pie de página (y así lo hace en la mayoría de ediciones y en el ejemplar con correcciones autógrafas), he seguido el criterio de los editores modernos, que se atienen a los usos actuales, situando las acotaciones en el texto.

Las explicaciones léxicas en las notas pretenden facilitar la comprensión del texto a los lectores de hoy sin entorpecer la lectura. Así, las explicaciones son lo más claras y precisas posible, sin reproducir las definiciones de las fuentes lexicográficas antiguas, de difícil comprensión para el no especialista. Si la voz no aparece en alguno de estos repertorios lexicográficos, he buscado su significación en textos del propio Moratín o de sus contemporáneos. En un par de ocasiones me he servido de las notas de la edición de A. C. Albites (París, Truchy, 1836), a quien, por su proximidad cronológica a Moratín, podría concedérsele alguna fiabilidad en sus aclaraciones para los lectores franceses. He puesto especial interés en el comentario de aquellos términos con una carga ideológica o literaria que era conveniente indicar y en aquellos otros, singularmente peligrosos, que resultan conocidos para el lector de nuestro tiempo, pero cuyo significado era muy distinto a fines del siglo XVIII.

He modernizado la ortografía, las pautas de acentuación y de puntuación, respetando los usos gráficos con valor fonológico genuinos de la época como «reprehensibles», «comprehender», «sorprehenderle»[65]. Actualizo, en cambio, la grafía latinizante «scena» (de dudoso valor fónico) y las arcaizantes —sin valor fonológico ni fónico— como «egecutable», «zeloso», etc.

---

[65] La forma «prehender», para los compuestos con este verbo («reprehender», «sorprehender», «comprehender»; excepto «aprehender», con diferente significado de «aprender»), es habitual en los impresos y manuscritos de la época (Martínez Mata, 2000: 7 n.).

Bibliografía*

AGUILAR PIÑAL, Francisco, *Sevilla y el teatro en el siglo XVIII*, Oviedo, Cátedra Feijoo, 1974.

ÁLVAREZ DE MIRANDA, Pedro, *Palabras e ideas: el léxico de la Ilustración temprana en España (1680-1760)*, Madrid, Real Academia Española (Anejos del Boletín de la Real Academia Española, LI), 1992.

ANDIOC, René [1968]: véase Fernández de Moratín, Leandro, *La comedia nueva. El sí de las niñas*, edic. J. Dowling y R. Andioc.

— [1973]: véase Fernández de Moratín, Leandro, *Epistolario*, edic. R. Andioc, Madrid, Castalia, 1973.

— *Teatro y sociedad en el Madrid el siglo XVIII*, Fundación Juan March, Madrid, Castalia, 1976.

— «Lectures inquisitoriales de *El sí de las niñas*», *Cahiers de l'Université*, 20 (1989) [Coloquio «Critique sociale et conventions théatrales», Pau, 1-3 de diciembre de 1988], págs. 145-164; ahora en <http://www.cervantesvirtual.com>

BITTOUN-DEBRUYNE, Nathalie, «Moratín y Marivaux: ¿Influencia o convergencia?», *Revista de Literatura*, LX, 120 (1998), págs. 432-462.

BUSQUETS, Loreto, «Iluminismo e ideal burgués en *El sí de las niñas*», *Segismundo*, 37-38 (1983), págs. 61-88.

CADALSO, José de, *Escritos autobiográficos y epistolario*, edic. N. Glendinning y N. Harrison, Londres, Tamesis, 1979.

— *Cartas marruecas* y *Noches lúgubres*, edic. E. Martínez Mata, estudio preliminar de N. Glendinning, Barcelona, Crítica (Biblioteca Clásica, 86), 2000.

---

* La bibliografía aquí incluida es la citada en la Introducción o en las notas. Puede verse un amplio repertorio bibliográfico de Moratín en Pérez Magallón [1994: 327-348].

CERVANTES, Miguel de, *Don Quijote de la Mancha,* edic. dirigida por F. Rico, Barcelona, Crítica (Biblioteca Clásica, 50), 1998, 2 vols.

CLADERA, Cristóbal, *Examen de la tragedia intitulada «Hamlet», escrita en inglés por Guillermo Shakespeare y traducida al castellano por Inarco Celenio, poeta árcade,* Madrid, Viuda de Ibarra, 1800.

COOK, John A., *Neo-classic Drama in Spain. Theory and Practice,* Dallas, Southern Methodist University Press, 1959.

DEACON, Philip, «La ironía en *El sí de las* niñas», en *El teatro español del siglo XVIII,* edic. J. Sala Valldaura, Lleida, Universidad de Lleida, 1996, I, págs. 289-307.

— «La comicidad de doña Irene en *El sí de las niñas* de Leandro Fernández de Moratín», *Scriptura,* 15 (1999), págs. 145-158.

DOWLING, John, *Leandro Fernández de Moratín,* Nueva York, Twayne, 1971.

— «La génesis de *El viejo y la niña* de Moratín», *Hispanic Review,* XLIV (1976), págs. 113-125.

— «La regla de la verosimilitud demostrada en las dos primeras ediciones de *El sí de las niñas», Dieciocho,* III (1980), págs. 108-114.

ESCOSURA, Patricio de la, «Moratín en su vida íntima», *La Ilustración Española y Americana,* XXI (1877), págs. 47, 50, 207, 210, 230-231, 305-306 y 370-371.

FERNÁNDEZ DE MORATÍN, Leandro, *Apuntaciones sueltas de Inglaterra,* edic. A. Rodríguez-Fisher, Barcelona, PPU, 1992.

— *La comedia nueva. El sí de las niñas,* edic. J. Dowling y R. Andioc, Madrid, Castalia, 1968.

— *La comedia nueva,* edic. J. Dowling, Madrid, Castalia, 1970.

— *La comedia nueva. El sí de las niñas,* edic. J. Pérez Magallón, estudio preliminar de F. Lázaro Carreter, Barcelona, Crítica (Biblioteca Clásica, 90), 1994.

— *Epistolario,* edic. R. Andioc, Madrid, Castalia, 1973.

— *Obras de D. Nicolás y D. Leandro Fernández de Moratín,* Rivadeneyra (Biblioteca de Autores Españoles, 2), Madrid, 1846; reedic. Madrid, Atlas, 1944.

— *Obras póstumas,* Madrid, Francisco de Paula Mellado, 1845; reedic. Madrid, Rivadeneyra, 1867.

— *Poesías completas (Poesías sueltas y otros poemas),* edic. de J. Pérez Magallón, Barcelona, Sirmio-Quaderns Crema, 1995.

— *Viaje a Italia,* edic. de B. Tejerina, Madrid, Espasa-Calpe, 1991.

FERNÁNDEZ NIETO, Manuel, «*El sí de las niñas* de Moratín y la Inquisición», *Revista de Literatura,* XXXVII (1970), págs. 15-54.

GATTI, J. F., «Moratín y Marivaux», *Revista de Filología Hispánica*, III (1941), págs. 140-149.

GONZÁLEZ HERRÁN, José Manuel, «La teatralidad de *El sí de las niñas*», *Segismundo*, 39-40 (1984), págs. 145-171.

IRIARTE, Tomás de, *Los literatos en cuaresma*, edic. J. Pérez Magallón y E. Martínez Mata, Madrid, Castalia (en prensa).

LABORDE, Paul, «Un problème d'influence: Marivaux et *El sí de las niñas*», *Revue des Langues Romanes*, LXIX (1945), págs. 127-145.

LARRA, Mariano José de, «Representación de *El sí de las niñas*, comedia de Leandro Fernández de Moratín», *La Revista Española*, 2 de febrero de 1834; reimpr. en *Artículos completos*, edic. M. Almagro Sanmartín, Madrid, Aguilar, 1944, págs. 384-386.

LUZÁN, Ignacio de, *La poética. Reglas de la poesía en general y de sus principales especies*, edic. R. P. Sebold, Barcelona, Labor, 1977.

MARAVALL, José Antonio, «La función educadora del teatro en el siglo de la Ilustración», en *Estudios dedicados a Juan Peset Aleixandre*, Valencia, Universidad de Valencia, 1982, págs. 617-633; reimp. en *Estudios de la historia del pensamiento español (siglo XVIII)*, Madrid, Mondadori, 1991, págs. 382-406.

MARTÍNEZ MATA, Emilio, «El discurso XLI de *El Censor* y el tema del matrimonio impuesto», *Estudios de Historia Social*, 52-53 (1990), págs. 313-317.

— [2000]: véase José de Cadalso, *Cartas marruecas. Noches lúgubres*, edic. de E. Martínez Mata.

— «El arte teatral de Moratín: los contrastes en *El sí de las niñas*» (en prensa).

MELÓN, Juan Antonio, «Desordenadas y mal digeridas apuntaciones», en Leandro Fernández de Moratín, *Obras póstumas*, Madrid, Francisco de Paula Mellado, 1845, III, págs. 376-388; de forma completa, con el título «Apuntes biográficos de don Leandro Fernández de Moratín», en *La comedia nueva*, edic. J. Dowling, págs. 23-39.

ORTIZ ARMENGOL, Pedro, *El año que vivió Moratín en Inglaterra, 1792-1793*, Madrid, Castalia, 1985.

PALOMO, María del Pilar, «Presencia de Tirso en Moratín», *Studi Ispanici*, I (1962), págs. 165-186.

PÉREZ MAGALLÓN, Jesús [1994]: véase Fernández de Moratín, Leandro, *La comedia nueva. El sí de las niñas*, edic. de Jesús Pérez Magallón.

— [1995]: véase Fernández de Moratín, Leandro, *Poesías completas*, edic. de J. Pérez Magallón.

— *El teatro neoclásico*, Madrid, Laberinto (Arcadia de las Letras, 11), 2001.

REGALADO KERSON, Pilar, «Leandro Fernández de Moratín: Primer traductor de Shakespeare en castellano. Antecedentes y preliminares a su versión de *Hamlet*», *Dieciocho*, 12 (1989), págs. 45-65.

ROSSI, Giuseppe Carlo, *Leandro Fernández de Moratín. Introducción a su vida y obra*, Madrid, Cátedra, 1974.

SALA VALLDAURA, Josep Maria, «Los afectos sociales y domésticos en el teatro de Leandro Fernández de Moratín: el beso de doña Francisca y Rita», en *Historia social y literatura*, edic. R. Fernández y J. Soubeyroux, Saint-Étienne, Lleida, Milenio-Université Jean Monnet, 2001, págs. 113-129.

SÁNCHEZ ESTEVAN, Ismael, «En el centenario de Moratín. *El sí de las niñas*», *La Esfera*, 30 de junio de 1928, pág. 67.

SEBOLD, Russell P., *El rapto de la mente*, Madrid, Prensa Española, 1970.

— «Introducción biográfica y crítica», Tomás de Iriarte, *El señorito mimado. La señorita malcriada*, Madrid, Castalia, 1978, págs. 7-132.

— «Autobiografía y realismo en *El sí de las niñas*», en *Coloquio internacional sobre Leandro Fernández de Moratín*, Piovan, Abano Terme, 1980, págs. 213-227.

SEMPERE Y GUARINOS, Juan, *Ensayo de una biblioteca española de los mejores escritores del reinado de Carlos III*, Madrid, Imprenta Real, 6 vols., 1785-1789; edic. facsímil: Madrid, Gredos, 1969, 3 vols.

SILVELA, Manuel, «Vida de Leandro Fernández de Moratín», en Leandro Fernández de Moratín, *Obras póstumas*, Madrid, Francisco de Paula Mellado, 1845, II, págs. 5-64.

TEJERINA, Belén, «Leandro Fernández de Moratín y el Colegio de España», *Studia Albornotiana*, XXXVII (1979), págs. 625-650.

TERREROS Y PANDO, Esteban de, *Diccionario castellano con las voces de ciencias y artes*, Madrid, Viuda de Ibarra, 1786; edic. facsímil: Madrid, Arco, 1987, 4 vols.

TORRES VILLARROEL, Diego, *Visiones y visitas de Torres con don Francisco de Quevedo por la Corte*, edic. R. P. Sebold, Madrid, Espasa-Calpe (Clásicos Castellanos, 161), 1966.

VEGA, Ventura de la, *La crítica de «El sí de las niñas»*, en *Obras escogidas*, II, Barcelona, Montaner y Simón, 1894, págs. 207-234.

VITSE, Marc, «Le point de vue de don Diego et la thèse de *El sí de las niñas*», *Les Langues Néo-Latines*, LXX (1976), págs. 32-55.

El sí de las niñas

Leandro Fernández de Moratín

Éstas son las seguridades que dan los padres y los tutores,
y esto lo que se debe fiar en el sí de las niñas.

Acto III, escena XIII[1].

---

[1] En la edición de 1805 aparecía la siguiente dedicatoria a Godoy (suprimida en las ediciones de 1806 y 1825, y cuyo propósito cree Pérez Magallón, 1994: 258 sería el de proteger la comedia ante los riesgos del estreno): «Al Excmo. Sr. Príncipe de la Paz, etc., etc., etc. / Excmo. Señor: / No hago más que desempeñar la estrecha obligación que me impone mi gratitud dedicando a V.E. la presente obra, y añadirla una recomendación la más favorable con el nombre de V.E. que la ilustra. / Los defectos en los que abundará sin duda no dejarán de hallar en el concepto de V.E. la disculpa que necesitan, porque nadie es más indulgente cuando examina los productos de las artes que el hombre ilustrado y sensible, capaz de conocer todas sus bellezas, que sabe cuán difícil es aproximarse a la perfección y cuán limitado el talento humano para conseguirla. / Nuestro Señor guarde la importante vida de V.E. muchos años. / Madrid, 28 de noviembre de 1805, / Excmo. Sr. / B.L.M. de V.E. / Leandro Fernández de Moratín.»

Advertencia

El sí de las niñas se representó en el teatro de la Cruz el día 24 de enero de 1806[2], y si puede dudarse cuál sea entre las comedias del autor la más estimable, no cabe duda en que ésta ha sido la que el público español recibió con mayores aplausos. Duraron sus primeras representaciones veinte y seis días consecutivos; hasta que, llegada la cuaresma, se cerraron los teatros como era costumbre[3]. Mientras el público de Madrid acudía a verla, ya se representaba por los cómicos de las provincias, y una culta reunión de personas ilustres e inteligentes se anticipaba en Zaragoza a ejecutarla en un teatro particular, mereciendo por el acierto de su desempeño la aprobación de cuantos fueron admitidos a oírla[4]. Entretanto, se repetían las ediciones de esta obra: cuatro se hicieron en Madrid durante el año de 1806, y todas fueron necesarias para satisfacer la común curiosidad de leerla, excitada por las representaciones del teatro.

¡Cuánta debió ser entonces la indignación de los que no gustan de la ajena celebridad, de los que ganan la vida bus-

---

[2] *niñas:* 'muchachas, jóvenes', frente al valor —más restringido— que usamos hoy (la niñez como período que va del nacimiento a la adolescencia).

[3] Sin duda, el mayor éxito teatral de la época (Andioc, 1968: 18), con una cifra de representaciones no superada por ninguna de las popularísimas comedias de magia. Las obras de autores del siglo XVII, Calderón en especial, no se prolongaban más allá de tres o cuatro días.

[4] Moratín tendría noticia de esta representación por una carta de Manuel del Inca Yupanqui del 22 de febrero de 1806.

cando defectos en todo lo que otros hacen, de los que escriben comedias sin conocer el arte de escribirlas y de los que no quieren ver descubiertos en la escena vicios y errores tan funestos a la sociedad como favorables a sus privados intereses! La aprobación pública reprimió los ímpetus de los críticos foliculares[5]: nada imprimieron contra esta comedia, y la multitud de exámenes[6], notas, advertencias y observaciones a que dio ocasión, igualmente que las contestaciones y defensas que se hicieron de ella, todo quedó manuscrito. Por consiguiente, no podían bastar estos imperfectos desahogos a satisfacer la animosidad de los émulos del autor[7], ni el encono de los que resisten a toda ilustración y se obstinan en perpetuar las tinieblas de la ignorancia[8]. Éstos acudieron al medio más cómodo, más pronto y más eficaz, y si no lograron el resultado que esperaban, no hay que atribuirlo a su poca diligencia. Fueron muchas las delaciones que se hicieron de esta comedia al tribunal de la Inquisición[9]. Los calificadores tuvieron no poco que hacer en examinarlas y fijar su opinión acerca de los pasajes citados como reprehensibles[10]; y en efecto, no era pequeña dificultad hallarlos tales en una obra en que no existe ni

---

[5] *foliculares:* 'periodistas', en sentido manifiestamente despectivo; era un galicismo («folliculaire»).

[6] *exámenes:* 'análisis'.

[7] *émulos:* 'rivales'.

[8] *ilustración:* tiene aquí no la antigua acepción de 'resplandor', sino la dieciochesca de 'transmitir el saber, comunicar las luces'. La metáfora de la luz o de las luces, con frecuencia contrapuesta a *las tinieblas* como aquí, se convierte por su significación en la divisa identificadora de la época *(Lumières, Enlightenment, Aufklärung, Illuminismo, Ilustración).* Puede verse un excelente estudio de la complejidad semántica de *ilustración* en Álvarez de la Miranda [1992: 183-199].

[9] Moratín advertía a Forner que el acudir a la Inquisición era el recurso de los «escritorcillos que resisten a toda ilustración»: «Si no pueden con la pluma, te herirán con la lengua, levantarán mil chismes contra tí, te desacreditarán, murmurarán de tu conducta y, si no te convencen de mal humanista, te calumniarán de mal cristiano, y acabará el Santo Oficio lo que empezaron ellos», *Epistolario,* pág. 72 (conocemos sólo la versión reelaborada —Andioc, 1973: 22-32—, por lo que Moratín podría estar aludiendo a su propio caso).

[10] La forma *prehender,* para los compuestos con este verbo, es la habitual en el siglo XVIII (véase la nota 65 de la Introducción).

una sola proposición opuesta al dogma ni a la moral cristiana[11].

Un ministro[12], cuya principal obligación era la de favorecer los buenos estudios, hablaba el lenguaje de los fanáticos más feroces y anunciaba la ruina del autor de *El sí de las niñas* como la de un delincuente merecedor de grave castigo. Tales son los obstáculos que han impedido frecuentemente en España el progreso rápido de las luces, y esta oposición poderosa han debido temer los que han dedicado en ella su aplicación y su talento a la indagación de verdades útiles[13] y al fomento y esplendor de la literatura y de las artes. Sin embargo, la tempestad que amenazaba se disipó a la presencia del Príncipe de la Paz; su respeto contuvo el furor de los ignorantes y malvados hipócritas que, no atreviéndose por entonces a moverse, remitieron su venganza para ocasión más favorable.

En cuanto a la ejecución de esta pieza, basta decir que los actores se esmeraron a porfía[14] en acreditarla y que sólo excedieron al mérito de los demás los papeles de doña Irene, doña Francisca y don Diego. En el primero se distinguió María Ribera, por la inimitable naturalidad y gracia cómica con que supo hacerle. Josefa Virg rivalizó con ella en el suyo, y Andrés Prieto, nuevo entonces en los teatros de Madrid, adquirió el concepto de actor inteligente que hoy sostiene todavía con general aceptación[15].

---

[11] El inquisidor general emitió un informe el 4 de junio de 1807 concluyendo que la comedia «no contiene proposición ni cláusula alguna digna de censura teológica». Sin embargo, en 1819 la Inquisición —restaurada por Fernando VII después de ser suprimida por José I— prohibió la obra en un proceso en el que Moratín, por su repentina marcha a Francia, no pudo presentar alegaciones (el análisis del expediente en Dowling, 1961, reproducido en Fernández Nieto, 1970).

[12] Podría aludir a José Antonio Caballero, secretario de Gracia y Justicia, quien remitió una denuncia contra la obra al tribunal de la Inquisición.

[13] Téngase en cuenta la elevada estimación que adquiere para los ilustrados la noción de «utilidad», convirtiéndose en una idea omnipresente.

[14] *a porfía:* 'a cuál mejor'.

[15] Ninguno de los actores que participaron en el estreno era de primera fila: Moratín no quería que la representación se viera condicionada por los vicios de las grandes figuras.

PERSONAS

Don Diego
Don Carlos
Doña Irene
Doña Francisca
Rita
Simón
Calamocha

La escena es en una posada en Alcalá de Henares[16].

El teatro representa una sala de paso con cuatro puertas de habitaciones para huéspedes[17], *numeradas todas. Una más grande en el foro*[18], *con escalera que conduce al piso bajo de la casa. Ventana de antepecho a un lado*[19]. *Una mesa en medio, con banco, sillas, etc.*[20].

La acción empieza a las siete de la tarde y acaba a las cinco de la mañana siguiente[21].

---

[16] La acción transcurre en un único lugar, de acuerdo con el criterio aplicado anteriormente por Nicolás F. de Moratín y Tomás de Iriarte. Se observa la unidad de lugar pero, en cuanto que en una posada se percibe de algún modo la presencia de las localidades de origen o de destino, está presente «la ilusión de cierta libertad» (Sebold, 1978: 140 n.).

Alcalá de Henares era etapa obligada, para hacer noche, en la ruta hacia el noreste.

[17] La acción tiene lugar en una sala de paso en el primer piso de la posada, de un modo semejante a la sala con tres puertas de *El señorito mimado* de Tomás de Iriarte.

[18] *foro:* 'fondo del escenario'.

[19] *antepecho:* 'barandilla para asomarse'.

[20] La elementalidad del decorado en las comedias de Moratín y otros autores neoclásicos contrasta con su exuberancia en las comedias populares de la época: Andioc [1976: 48] ha documentado los elevados costes de la representación de algunas de estas obras.

[21] Esta acotación la añade Moratín en la edición de París, 1825. El primero en indicar los límites temporales de la acción fue Iriarte en *El señorito mimado* y *La señorita malcriada*.

66

Acto primero

ESCENA PRIMERA[22]

DON DIEGO, SIMÓN

(Sale don Diego de su cuarto; Simón, que está sentado en una silla, se levanta.)

DON DIEGO

¿No han venido todavía?

SIMÓN

No, señor.

DON DIEGO

Despacio la han tomado[23], por cierto.

---

[22] Frente a la comedia barroca, en la que la introducción se efectuaba por medio de la relación de algún personaje (el gracioso, por lo general), aquí se lleva a cabo gracias al diálogo entre los personajes en la escena primera.

[23] No habría que descartar un probable error del original *(«la* han tomado» por *«lo* han tomado»): no hay ningún referente de género femenino para el pronombre (a diferencia de lo que ocurre en la frase siguiente), ni resulta factible suponer un término elidido de género femenino. Sería un error de sustitución por influencia de la vocal de la palabra siguiente («hAn»).

SIMÓN

Como su tía la quiere tanto, según parece, y no la ha visto desde que la llevaron a Guadalajara...

DON DIEGO

Sí. Yo no digo que no la viese, pero con media hora de visita y cuatro lágrimas estaba concluido.

SIMÓN

Ello también ha sido extraña determinación la de estarse usted dos días enteros sin salir de la posada. Cansa el leer, cansa el dormir... Y, sobre todo, cansa la mugre del cuarto, las sillas desvencijadas, las estampas del hijo pródigo[24], el ruido de campanillas y cascabeles y la conversación ronca de carromateros y patanes[25], que no permiten un instante de quietud[26].

DON DIEGO

Ha sido conveniente el hacerlo así. Aquí me conocen todos, y no he querido que nadie me vea[27].

---

[24] La mención de *las estampas del hijo pródigo* como una de las cosas que agobian al criado de don Diego fue considerada «falta de respeto a la memoria sagrada» por la Inquisición (en Fernández Nieto, 1970: 31). Se habían convertido en decoración habitual en las posadas.

[25] *patanes:* 'aldeanos'.

[26] La lamentable situación de las posadas era un lugar común de los viajeros extranjeros y españoles.

[27] Esta última frase sustituye en la edición de 1825 a «el corregidor, el señor abad, el visitador, el rector de Málaga... ¡Qué se yo! Todos... Y ha sido preciso estarme quieto y no exponerme a que me hallasen por ahí». El abad de la Colegiata y el rector del Colegio Menor de Málaga eran conocidos del propio Moratín, a los que trataba en las paradas en Alcalá, de camino a su retiro de Pastrana.

68

Yo no alcanzo la causa de tanto retiro. Pues ¿hay más en esto que haber acompañado usted a doña Irene hasta Guadalajara para sacar del convento a la niña y volvernos con ellas a Madrid?[28].

DON DIEGO

Sí, hombre, algo más hay de lo que has visto.

SIMÓN

Adelante.

DON DIEGO

Algo, algo... Ello tú al cabo lo has de saber, y no puede tardarse mucho... Mira, Simón, por Dios te encargo que no lo digas... Tú eres hombre de bien[29] y me has servido muchos años con fidelidad... Ya ves que hemos sacado a esa niña del convento y nos la llevamos a Madrid.

SIMÓN

Sí, señor.

DON DIEGO

Pues bien... Pero te vuelvo a encargar que a nadie lo descubras.

---

[28] Andioc [1968: 166 n.] identifica el internado con el colegio de las Vírgenes del convento de Nuestra Señora de la Fuente.

[29] El concepto de *hombre de bien* no es nuevo (con el valor de 'hombre honrado, cabal'), pero en el siglo XVIII adquiere una diferente dimensión y mucha más trascendencia. Cadalso, por ejemplo, lo presenta en sus *Cartas marruecas* en repetidas ocasiones como modelo social y moral.

Bien está, señor. Jamás he gustado de chismes.

DON DIEGO

Ya lo sé, por eso quiero fiarme de ti. Yo, la verdad, nunca había visto a la tal doña Paquita; pero, mediante la amistad con su madre, he tenido frecuentes noticias de ella; he leído muchas de las cartas que escribía; he visto algunas de su tía la monja, con quien ha vivido en Guadalajara; en suma, he tenido cuantos informes pudiera desear acerca de sus inclinaciones y su conducta. Ya he logrado verla; he procurado observarla en estos pocos días, y, a decir verdad, cuantos elogios hicieron de ella me parecen escasos.

SIMÓN

Sí, por cierto... Es muy linda y...

DON DIEGO

Es muy linda, muy graciosa, muy humilde... Y sobre todo, ¡aquel candor, aquella inocencia! Vamos, es de lo que no se encuentra por ahí... Y talento... Sí señor, mucho talento...[30]. Conque, para acabar de informarte, lo que yo he pensado es...

SIMÓN

No hay que decírmelo.

---

[30] En las cualidades de doña Paquita elogiadas por don Diego, con progresiva exaltación, se ha visto el reflejo de una consideración limitada por parte de Moratín del papel de la mujer. Sin embargo, el escaso trato de don Diego con doña Paquita, como acaba de referir, no podía haber dado para más. Por otra parte, el *candor,* la *inocencia,* destacados aquí, resultan fundamentales en un personaje que acata la decisión de su madre por obediencia, a pesar de estar enamorada de otro hombre, y no por interés.

Don Diego

¿No? ¿Por qué?

Simón

Porque ya lo adivino. Y me parece excelente idea[31].

Don Diego

¿Qué dices?

Simón

Excelente.

Don Diego

¿Conque al instante has conocido?...

Simón

¿Pues no es claro?... ¡Vaya!... Dígole a usted que me parece muy buena boda. Buena, buena.

Don Diego

Sí, señor... Yo lo he mirado bien y lo tengo por cosa muy acertada.

Simón

Seguro que sí.

---

[31] El malentendido de Simón revela «lo antinatural del propósito de D. Diego» (Casalduero, 1957: 41). Equívocos del mismo tipo habían aparecido en *El avaro* (I, 4) y en *La escuela de mujeres* (II, 4) de Molière, pero también en *La discreta enamorada* de Lope y en *Marta la piadosa* (I, 16) de Tirso de Molina.

DON DIEGO

Pero quiero absolutamente que no se sepa hasta que esté hecho.

SIMÓN

Y en eso hace usted bien.

DON DIEGO

Porque no todos ven las cosas de una manera[32], y no faltaría quien murmurase y dijese que era una locura y me...

SIMÓN

¿Locura? ¡Buena locura!... ¿Con una chica como ésa, eh?

DON DIEGO

Pues ya ves tú. Ella es una pobre... Eso sí...[33] Pero yo no he buscado dinero, que dineros tengo. He buscado modestia, recogimiento, virtud[34].

SIMÓN

Eso es lo principal... Y, sobre todo, lo que usted tiene ¿para quién ha de ser?

---

[32] *una:* 'igual'.

[33] Moratín suprimió en la edición de 1825 un extenso párrafo de las ediciones de 1805 y 1806 que adelantaba innecesariamente lo que después se mostrará del carácter de doña Irene: «Porque, aquí entre los dos, la buena de doña Irene se ha dado tal prisa en gastar desde que se murió su marido que, si no fuera por estas benditas religiosas y el canónigo de Castrojeriz, que es también su cuñado, no tendría para poner un puchero a la lumbre... Y muy vanidosa y muy remilgada, y hablando siempre de su parentela y de sus difuntos, y sacando unos cuentos allá que... Pero esto no es del caso...»

[34] Virtudes que corresponden más bien a un ideal de esposa que de mujer (Pérez Magallón, 1994: 169).

72

DON DIEGO

Dices bien... ¿Y sabes tú lo que es una mujer aprovechada, hacendosa, que sepa cuidar de la casa, economizar[35], estar en todo?... Siempre lidiando con amas, que si una es mala, otra es peor, regalonas[36], entremetidas, habladoras, llenas de histérico[37], viejas, feas como demonios... No señor, vida nueva. Tendré quien me asista con amor y fidelidad, y viviremos como unos santos... Y deja que hablen y murmuren y...

SIMÓN

Pero, siendo a gusto de entrambos[38], ¿qué pueden decir?

DON DIEGO

No, yo ya sé lo que dirán, pero... Dirán que la boda es desigual, que no hay proporción en la edad, que...

SIMÓN

Vamos, que no parece tan notable la diferencia. Siete u ocho años a lo más...

DON DIEGO

¡Qué, hombre! ¿Qué hablas de siete u ocho años? Si ella ha cumplido dieciséis años pocos meses ha.

SIMÓN

Y bien, ¿qué?

---

[35] *economizar:* 'administrar bien', en el sentido originario de «economía»: 'dirección o administración de una casa'.

[36] *regalonas:* 'comodonas'.

[37] *histérico:* 'sofocos, ahogos', no con el valor actual.

[38] *entrambos:* 'ambos', forma arcaica en el siglo XVIII.

Y yo, aunque gracias a Dios estoy robusto y... Con todo eso, mis cincuenta y nueve años no hay quien me los quite.

SIMÓN

Pero si yo no hablo de eso.

DON DIEGO

Pues ¿de qué hablas?

SIMÓN

Decía que... Vamos, o usted no acaba de explicarse o yo lo entiendo al revés... En suma, esta doña Paquita, ¿con quién se casa?

DON DIEGO

¿Ahora estamos ahí? Conmigo.

SIMÓN

¿Con usted?

DON DIEGO

Conmigo.

SIMÓN

¡Medrados quedamos![39]

---

[39] '¡Lucidos quedamos!', en sentido irónico.

DON DIEGO

¿Qué dices?... Vamos, ¿qué?...

SIMÓN

¡Y pensaba yo haber adivinado!

DON DIEGO

¿Pues qué creías? ¿Para quién juzgaste que la destinaba yo?

SIMÓN

Para don Carlos, su sobrino de usted, mozo de talento, instruido, excelente soldado, amabilísimo por todas sus circunstancias...[40] Para ése juzgué que se guardaba la tal niña.

DON DIEGO

Pues no señor.

SIMÓN

Pues bien está.

DON DIEGO

¡Mire usted qué idea! ¡Con el otro la había de ir a casar!... No señor; que estudie sus matemáticas[41].

---

[40] *amabilísimo*: 'muy merecedor de ser amado'. El malentendido de Simón respecto a la identidad del futuro esposo despertará los celos de don Diego y sugiere el contraste dramático de la obra: un joven cargado de cualidades positivas y un viejo que aparenta moverse por sus impulsos egoístas (tal como lo interpreta, en parecidos términos, Pérez Magallón, 1994: 171 n.).

[41] La frase de don Diego revela el deseo de rebajar la edad de su sobrino, como si estuviera todavía en el período de formación militar, para descartarle más fácilmente como rival. La réplica de Simón tendrá el efecto contrario, al igual que la siguiente.

SIMÓN

Ya las estudia; o, por mejor decir, ya las enseña.

DON DIEGO

Que se haga hombre de valor y...

SIMÓN

¡Valor![42] ¿Todavía pide usted más valor a un oficial que en la última guerra, con muy pocos que se atrevieron a seguirle, tomó dos baterías, clavó los cañones, hizo algunos prisioneros y volvió al campo lleno de heridas y cubierto de sangre?...[43] Pues bien satisfecho quedó usted entonces del valor de su sobrino; y yo le vi a usted más de cuatro veces llorar de alegría cuando el rey le premió con el grado de teniente coronel y una cruz de Alcántara[44].

DON DIEGO

Sí señor; todo es verdad, pero no viene a cuento. Yo soy el que me caso.

---

[42] Frente al sentido de 'mérito' para *valor* en boca de don Diego, Simón va a interpretarlo en el de 'valentía'.

[43] El período de redacción de la obra incluye varios conflictos, con Portugal e Inglaterra, por lo que no es posible la identificación de la *guerra* citada por Simón. De todos modos, es muy probable que Moratín no pretendiera realizar una alusión concreta.

baterías: 'conjunto de piezas de artillería'; *clavó los cañones*: 'inutilizó los cañones con clavos o hierros'.

[44] El grado de *teniente coronel* concedido tenía carácter honorífico, no efectivo (aunque válido a efectos de antigüedad). La *cruz de Alcántara* es el distintivo de la orden militar de Alcántara. Recuérdese que Cadalso había solicitado acceder a una de las órdenes militares (*Escritos autobiográficos*, pág. 42).

Si está usted bien seguro de que ella le quiere, si no le asusta la diferencia de la edad, si su elección es libre...[45]

DON DIEGO

Pues ¿no ha de serlo?...[46] ¿Y qué sacarían con engañarme? Ya ves tú la religiosa de Guadalajara si es mujer de juicio; ésta de Alcalá, aunque no la conozco, sé que es una señora de excelentes prendas; mira tú si doña Irene querrá el bien de su hija: pues todas ellas me han dado cuantas seguridades puedo apetecer... La criada, que la ha servido en Madrid y más de cuatro años en el convento, se hace lenguas de ella[47]; y, sobre todo, me ha informado de que jamás observó en esta criatura la más remota inclinación a ninguno de los pocos hombres que ha podido ver en aquel encierro. Bordar, coser, leer libros devotos, oír misa y correr por la huerta detrás de las mariposas y echar agua en los agujeros de las hormigas, éstas han sido su ocupación y sus diversiones... ¿Qué dices?[48]

---

[45] Las palabras del criado están expresando el criterio de don Diego que debe predominar para concertar el matrimonio: el amor y la libre elección. Vitse [1976: 35] supone que la coincidencia de amo y criado se explicaría porque la cuestión había sido tratada de modo teórico entre los dos.

[46] En la edición de 1805 figuraba un párrafo que Moratín suprimió a partir de la de 1806, sin duda porque muestra a una Paquita condescendiente con el matrimonio que le proponen: «Doña Irene la escribió con anticipación sobre el particular. Hemos ido allá, me ha visto, la han informado de cuanto ha querido saber, y ha respondido que está bien, que admite gustosa el partido que se le propone... Y ya ves tú con qué agrado me trata, y qué expresiones me hace tan cariñosas y tan sencillas... Mira, Simón, si los matrimonios muy desiguales tienen por lo común desgraciada resulta, consiste en que alguna de las partes procede sin libertad, en que hay violencia, seducción, engaño, amenazas, tiranía doméstica... Pero aquí no hay nada de eso.»

[47] *se hace lenguas de ella*: 'la alaba encarecidamente'.

[48] La falta de asentimiento espontáneo por parte del criado introduce cierta incredulidad en las justificaciones con que pretende tranquilizarse don Diego.

Yo nada, señor.

Y no pienses tú que, a pesar de tantas seguridades, no aprovecho las ocasiones que se presentan para ir ganando su amistad y su confianza y lograr que se explique conmigo en absoluta libertad... Bien que aún hay tiempo... Sólo que aquella doña Irene siempre la interrumpe; todo se lo habla... Y es muy buena mujer, buena...

En fin, señor, yo desearé que salga como usted apetece.

Sí, yo espero en Dios que no ha de salir mal. Aunque el novio no es muy de tu gusto... ¡Y qué fuera de tiempo me recomendabas al tal sobrinito! ¿Sabes tú lo enfadado que estoy con él?

¿Pues qué ha hecho?

Una de las suyas... Y hasta pocos días ha no lo he sabido. El año pasado, ya lo viste, estuvo dos meses en Madrid... Y me costó buen dinero la tal visita... En fin, es mi sobrino, bien dado está; pero voy al asunto. Llegó el caso de irse a Zaragoza, a su regimiento...[49] Ya te acuerdas de que a muy

---

[49] También Cadalso, íntimo amigo de Nicolás F. de Moratín, tuvo durante un tiempo su regimiento cerca de Zaragoza.

pocos días de haber salido de Madrid recibí la noticia de su llegada.

SIMÓN

Sí, señor.

DON DIEGO

Y que siguió escribiéndome, aunque algo perezoso, siempre con la data de Zaragoza[50].

SIMÓN

Así es la verdad.

DON DIEGO

Pues el pícaro no estaba allí cuando me escribía las tales cartas.

SIMÓN

¿Qué dice usted?

DON DIEGO

Sí, señor. El día tres de julio salió de mi casa y a fines de septiembre aún no había llegado a sus pabellones... ¿No te parece que para ir por la posta hizo muy buena diligencia?[51]

SIMÓN

Tal vez se pondría malo en el camino, y por no darle a usted una pesadumbre...

---

[50] *data:* 'indicación de lugar y fecha al inicio o final de un escrito'.
[51] *ir por la posta:* 'ir apresuradamente' (cambiando de caballos en *la posta*); *diligencia:* 'prontitud', irónicamente.

DON DIEGO

Nada de eso. Amores del señor oficial y devaneos que le traen loco... Por ahí, en esas ciudades, puede que... ¿Quién sabe? Si encuentra un par de ojos negros, ya es hombre perdido... ¡No permita Dios que me le engañe alguna bribona de estas que truecan el honor por el matrimonio!

SIMÓN

¡Oh! No hay que temer... Y si tropieza con alguna fullera de amor[52], buenas cartas ha de tener para que le engañe.

DON DIEGO

Me parece que están ahí... Sí. Busca al mayoral[53] y dile que venga para quedar de acuerdo en la hora a que deberemos salir mañana.

SIMÓN

Bien está.

DON DIEGO

Ya te he dicho que no quiero que esto se trasluzca ni... ¿Estamos?

SIMÓN

No haya miedo que a nadie lo cuente.

(Simón se va por la puerta del foro. Salen por la misma las tres mujeres con mantillas y basquiñas[54]. Rita deja un pañuelo atado sobre la mesa y recoge las mantillas y las dobla.)

---

[52] *fullera:* 'que hace trampas en el juego de naipes'.
[53] *mayoral:* 'el que gobierna el conjunto de caballerías que arrastra el carruaje'.
[54] *basquiñas:* 'faldas usadas por las mujeres para salir a la calle', de carácter popular en el siglo XVIII; las *mantillas* cubrían la cabeza, hombros y espaldas; eran de color blanco o negro.

ESCENA II

DOÑA IRENE, DOÑA FRANCISCA, RITA, DON DIEGO

DOÑA FRANCISCA

Ya estamos acá.

DOÑA IRENE

¡Ay! ¡Qué escalera!

DON DIEGO

Muy bien venidas, señoras.

DOÑA IRENE

¿Conque usted, a lo que parece, no ha salido? *(Se sientan doña Irene y don Diego.)*

DON DIEGO

No, señora. Luego, más tarde, daré una vueltecilla por ahí... He leído un rato. Traté de dormir, pero en esta posada no se duerme.

DOÑA FRANCISCA

Es verdad que no... ¡Y qué mosquitos! ¡Mala peste en ellos! Anoche no me dejaron parar... Pero mire usted, mire usted *(Desata el pañuelo y manifiesta algunas cosas de las que indica el diálogo)* cuántas cosillas traigo. Rosarios de nácar, cruces de ciprés, la regla de San Benito, una pililla de cristal... Mire usted qué bonita. Y dos corazones de talco... ¡Qué sé yo cuánto viene aquí!... ¡Ay! y una campanilla de barro bendito para los truenos...[55] ¡Tantas cosas!

Doña Irene

Chucherías que la han dado las madres[56]. Locas estaban con ella.

Doña Francisca

¡Cómo me quieren todas! Y mi tía, mi pobre tía, lloraba tanto... Es ya muy viejecita.

Doña Irene

Ha sentido mucho no conocer a usted.

Doña Francisca

Sí, es verdad. Decía: «¿Por qué no ha venido aquel señor?»

Doña Irene

El padre capellán y el rector de los Verdes nos han venido acompañando hasta la puerta[57].

Doña Francisca

Toma *(Vuelve a atar el pañuelo y se le da a Rita, la cual se va con él y con las mantillas al cuarto de doña Irene)*, guárdamelo todo allí, en la escusabaraja[58]. Mira, llévalo así de las pun-

---

[55] Conjunto de objetos que reflejan una idea de la religión cargada de fetichismo y superstición.

[56] Los calificadores de la Inquisición advirtieron —atinadamente— el propósito de «mofa e irrisión» de Moratín al denominar *chucherías* los regalos de las monjas (reproducido en Fernández Nieto, 1970: 28 y 31).

[57] Los *verdes* eran los colegiales del Colegio Menor de Santa Catalina, aludiendo al color de su manto.

[58] *escusabaraja:* 'cesta grande de mimbre, cerrada con candado'.

tas... ¡Válgate Dios! ¡Eh! ¡Ya se ha roto la santa Gertrudis de alcorza![59]

RITA

No importa; yo me la comeré.

ESCENA III

DOÑA IRENE, DOÑA FRANCISCA, DON DIEGO

DOÑA FRANCISCA

¿Nos vamos adentro, mamá, o nos quedamos aquí?

DOÑA IRENE

Ahora, niña, que quiero descansar un rato.

DON DIEGO

Hoy se ha dejado sentir el calor en forma[60].

DOÑA IRENE

¡Y qué fresco tienen aquel locutorio! Está hecho un cielo...[61] *(Siéntase doña Francisca junto a su madre.)* Mi hermana es la que sigue siempre bastante delicadita. Ha padecido mucho este invierno... Pero, vaya, no sabía qué hacerse con

---

[59] *alcorza:* 'dulce hecho con una pasta blanca de azúcar y almidón'.

[60] *en forma:* 'cumplidamente, verdaderamente'.

[61] En la edición de 1825 Moratín suprimió una intervención de Paquita que reflejaba su espontaneidad, pero con una alusión un tanto burda: «DOÑA FRANCISCA. Pues con todo, aquella monja tan gorda que se llama la madre Angustias, bien sudaba... ¡Ay, cómo sudaba la pobre mujer!»

su sobrina la buena señora... Está muy contenta de nuestra elección.

DON DIEGO

Yo celebro que sea tan a gusto de aquellas personas a quienes debe usted particulares obligaciones.

DOÑA IRENE

Sí, Trinidad está muy contenta; y en cuanto a Circuncisión[62], ya lo ha visto usted. La ha costado mucho despegarse de ella, pero ha conocido que, siendo para su bienestar, es necesario pasar por todo... Ya se acuerda usted de lo expresiva que estuvo y...

DON DIEGO

Es verdad. Sólo falta que la parte interesada tenga la misma satisfacción que manifiestan cuantos la quieren bien[63].

DOÑA IRENE

Es hija obediente y no se apartará jamás de lo que determine su madre[64].

DON DIEGO

Todo eso es cierto, pero...

---

[62] La burla implícita en los nombres de las monjas no pasó desapercibida para algún contemporáneo de Moratín ni para la Inquisición (en Fernández Nieto, 1970: 32).

[63] El intento de don Diego por conocer la voluntad de doña Paquita se contrapone al interés de doña Irene de imponer su decisión y la de las tías (Andioc, 1968: 152 n.).

[64] En parecidos términos elogiaba Mme. Argante a su hija Angèlique en *L'ecole des mères* (4), de Marivaux: «C'est une jeune et timide personne, à qui jusqu'ici son éducation n'a rien appris qu'a obéir».

84

DOÑA IRENE

Es de buena sangre y ha de pensar bien, y ha de proceder con el honor que la corresponde.

DON DIEGO

Sí, ya estoy[65]; pero ¿no pudiera, sin falta a su honor ni a su sangre...?

DOÑA FRANCISCA

¿Me voy, mamá? *(Se levanta y vuelve a sentarse.)*

DOÑA IRENE

No pudiera, no señor. Una niña bien educada, hija de buenos padres, no puede menos de conducirse en todas ocasiones como es conveniente y debido. Un vivo retrato es la chica, ahí donde usted la ve, de su abuela que Dios perdone, doña Jerónima de Peralta... En casa tengo el cuadro, ya le habrá usted visto. Y le hicieron, según me contaba su merced para enviársele a su tío carnal el padre fray Serapión de San Juan Crisóstomo, electo obispo de Mechoacán[66].

DON DIEGO

Ya[67].

---

[65] *ya estoy:* 'ya estoy en ello, ya entiendo'.

[66] El nombre de *Serapión,* deformación cómica de «Serapio» (Séneca, *Epístolas morales,* XL), resultaba especialmente atractivo para Moratín que lo usa en un romance y, en la forma originaria, en *La comedia nueva* (I, 1).

[67] «El laconismo del comentario se basta y se sobra para reflejar el escepticismo de D. Diego ante el cúmulo de pretenciosas alusiones vertidas por D.ª Irene» (Pérez Magallón, 1994: 177 n.).

DOÑA IRENE

Y murió en el mar el buen religioso, que fue un quebranto para toda la familia... Hoy es y todavía estamos sintiendo su muerte; particularmente mi primo don Cucufate, regidor perpetuo de Zamora[68], no puede oír hablar de Su Ilustrísima sin deshacerse en lágrimas.

DOÑA FRANCISCA

¡Válgate Dios, qué moscas tan...![69]

DOÑA IRENE

Pues murió en olor de santidad.

DON DIEGO

Eso bueno es.

DOÑA IRENE

Sí señor; pero como la familia ha venido tan a menos... ¿Qué quiere usted? Donde no hay facultades...[70] Bien que, por lo que puede tronar[71], ya se le está escribiendo la vida; y ¿quién sabe que el día de mañana no se imprima con el favor de Dios?

---

[68] El nombre de *Cucufate*, por lo que tiene de inverosímil y por su sonoridad, adquiere claro valor burlesco; *regidor*: 'gobernador'.

[69] La intervención de Paquita no sólo refleja su espontaneidad, sino también su desinterés por las historias —que se adivinan reiteradas con frecuencia— de su santurrona parentela.

[70] *facultades*: 'medios económicos'. Al sugerirse la imposibilidad de afrontar los gastos de un proceso de beatificación, queda en evidencia el elevado coste de estos procesos.

[71] *lo que puede tronar*: 'lo que puede ocurrir'.

DON DIEGO

Sí, pues ya se ve. Todo se imprime[72].

DOÑA IRENE

Lo cierto es que el autor, que es sobrino de mi hermano político el canónigo de Castrojeriz, no la deja de la mano; y a la hora de ésta lleva ya escritos nueve tomos en folio[73], que comprenden los nueve años primeros de la vida del santo obispo.

DON DIEGO

¿Conque para cada año un tomo?

DOÑA IRENE

Sí señor, ese plan se ha propuesto.

DON DIEGO

¿Y de qué edad murió el venerable?

DOÑA IRENE

De ochenta y dos años, tres meses y catorce días[74].

DOÑA FRANCISCA

¿Me voy, mamá?

---

[72] Se percibe, sin duda, una alusión crítica al carácter prescindible de la mayoría de los libros editados en la época, entre los que predominaban los religiosos y, en especial, las vidas de santos.

[73] La edición *en folio* era la de mayor tamaño (22 × 32 cm). Queda patente la burla de Moratín, puesto que este tipo de ediciones quedaba reservada a las obras de reconocida importancia.

[74] La Inquisición propuso suprimir buena parte de este diálogo por lo que tenía de «exageración injuriosa y burlesca» (en Fernández Nieto, 1970: 28 y 32).

DOÑA IRENE

Anda, vete. ¡Válgate Dios, qué prisa tienes![75]

DOÑA FRANCISCA

¿Quiere usted *(Se levanta, y después de hacer una graciosa corte-sía a don Diego, da un beso a doña Irene y se va al cuarto de ésta)* que le haga una cortesía a la francesa, señor don Diego?

DON DIEGO

Sí, hija mía. A ver.

DOÑA FRANCISCA

Mire usted, así.

DON DIEGO

¡Graciosa niña! ¡Viva la Paquita, viva!

DOÑA FRANCISCA

Para usted una cortesía, y para mi mamá un beso[76].

---

[75] La *prisa* de Paquita y su ausencia de implicación en el diálogo se debe al conflicto entre sus verdaderos sentimientos y su obediencia.

[76] Este comportamiento de Paquita aparece calificado por ella más adelante como pueril *(niñerías,* I, 9), justificado en la obediencia y amor filial *(por dar gusto a mi madre, que si no...,* I, 9).

ESCENA IV

Doña Irene, Don Diego

Doña Irene

Es muy gitana y muy mona[77], mucho.

Don Diego

Tiene un donaire natural que arrebata[78].

Doña Irene

¿Qué quiere usted? Criada sin artificio ni embelecos de mundo, contenta de verse otra vez al lado de su madre, y mucho más de considerar tan inmediata su colocación, no es maravilla que cuanto hace y dice sea una gracia, y máxime a los ojos de usted, que tanto se ha empeñado en favorecerla.

Don Diego

Quisiera sólo que se explicase libremente acerca de nuestra proyectada unión, y...

Doña Irene

Oiría usted lo mismo que le he dicho ya.

Don Diego

Sí, no lo dudo; pero el saber que la merezco alguna inclinación, oyéndoselo decir con aquella boquilla tan graciosa que tiene, sería para mí una satisfacción imponderable.

---

[77] *gitana:* 'engañadora'; *mona:* 'agraciada', con este valor se decía de los niños.

[78] *donaire:* 'gracia o ingenio a la hora de expresarse'.

No tenga usted sobre ese particular la más leve desconfianza, pero hágase usted cargo de que a una niña no la es lícito decir con ingenuidad lo que siente[79]. Mal parecería, señor don Diego, que una doncella de vergüenza y criada como Dios manda, se atreviese a decirle a un hombre: «Yo le quiero a usted».

DON DIEGO

Bien; si fuese un hombre a quien hallara por casualidad en la calle y le espetara ese favor de buenas a primeras[80], cierto que la doncella haría muy mal; pero a un hombre con quien ha de casarse dentro de pocos días, ya pudiera decirle alguna cosa que... Además, que hay ciertos modos de explicarse...

DOÑA IRENE

Conmigo usa de más franqueza. A cada instante hablamos de usted, y en todo manifiesta el particular cariño que a usted le tiene... ¡Con qué juicio hablaba ayer noche, después que usted se fue a recoger! No sé lo que hubiera dado porque hubiese podido oírla.

DON DIEGO

¿Y qué? ¿Hablaba de mí?

DOÑA IRENE

Y qué bien piensa acerca de lo preferible que es para una criatura de sus años un marido de cierta edad, experimentado, maduro y de conducta...

---

[79] El *laísmo* de persona (*la es lícito*) —como el leísmo, habitual en Moratín— es la norma culta del siglo XVIII.
ingenuidad: 'sinceridad'.
[80] *favor:* 'expresión de agrado'.

Don Diego

¡Calle! ¿Eso decía?

Doña Irene

No, esto se lo decía yo, y me escuchaba con una atención como si fuera una mujer de cuarenta años, lo mismo... ¡Buenas cosas la dije! Y ella, que tiene mucha penetración, aunque me esté mal el decirlo... ¿Pues no da lástima, señor, el ver cómo se hacen los matrimonios hoy en el día? Casan a una muchacha de quince años con un arrapiezo de diez y ocho[81], a una de diez y siete con otro de veinte y dos; ella niña, sin juicio ni experiencia, y él niño también, sin asomo de cordura ni conocimiento de lo que es mundo. Pues, señor (que es lo que yo digo), ¿quién ha de gobernar la casa?, ¿quién ha de mandar a los criados?, ¿quién ha de enseñar y corregir a los hijos? Porque sucede también que estos atolondrados de chicos suelen plagarse de criaturas en un instante, que da compasión.

Don Diego

Cierto que es un dolor el ver rodeados de hijos a muchos que carecen del talento, de la experiencia y de la virtud que son necesarias para dirigir su educación.

Doña Irene

Lo que sé decirle a usted es que aún no había cumplido los diez y nueve cuando me casé de primeras nupcias con mi difunto don Epifanio, que esté en el cielo. Y era un hombre que, mejorando lo presente, no es posible hallarle de más respeto, más caballeroso... Y, al mismo tiempo, más divertido y

---

[81] *arrapiezo:* 'muchacho de corta edad', con valor despectivo.

decidor. Pues, para servir a usted, ya tenía los cincuenta y seis, muy largos de talle, cuando se casó conmigo[82]

DON DIEGO

Buena edad... No era un niño, pero...

DOÑA IRENE

Pues a eso voy... Ni a mí podía convenirme en aquel entonces un boquirrubio con los cascos a la jineta...[83] No señor... Y no es decir tampoco que estuviese achacoso ni quebrantado de salud, nada de eso. Sanito estaba, gracias a Dios, como una manzana; ni en su vida conoció otro mal sino una especie de alferecía[84] que le amagaba de cuando en cuando. Pero, luego que nos casamos, dio en darle tan a menudo y tan de recio, que a los siete meses me hallé viuda y encinta de una criatura que nació después, y al cabo y al fin se me murió de alfombrilla[85].

DON DIEGO

¡Oiga!...[86] Mire usted si dejó sucesión el bueno de don Epifanio.

DOÑA IRENE

Sí señor, ¿pues por qué no?

---

[82] Cuando doña Irene se pone a sí misma como ejemplo de las ventajas de casarse con un hombre de edad avanzada, acaba evidenciando el desatino de un enlace semejante. Recuérdese que don Diego había confesado: *mis cincuenta y nueve años no hay quien me los quite* (I, 1). Los matrimonios con semejante diferencia de edad no eran infrecuentes (Moratín los conocía en su entorno), hasta el punto de constituir un problema social (véase Introducción, pág. 29).

[83] *boquirrubio:* 'simple, fácil de engañar'; *con los cascos a la jineta:* 'de poco juicio, alocado'.

[84] *alferecía:* 'epilepsia'.

[85] *al cabo y al fin:* 'finalmente'; *alfombrilla:* 'escarlatina'.

[86] *¡Oiga!:* '¡caramba!'

DON DIEGO

Lo digo porque luego saltan con...[87] Bien que si uno hubiera de hacer caso... ¿Y fue niño, o niña?

DOÑA IRENE

Un niño muy hermoso. Como una plata era el angelito.

DON DIEGO

Cierto que es consuelo tener, así, una criatura y...

DOÑA IRENE

¡Ay, señor! Dan malos ratos, pero ¿qué importa? Es mucho gusto, mucho.

DON DIEGO

Ya lo creo.

DOÑA IRENE

Sí señor.

DON DIEGO

Ya se ve que será una delicia y...

---

[87] Se insinúan los comentarios que pondrían en duda la posibilidad de engendrar hijos a edad tan avanzada (y a los que ha aludido el propio don Diego: *no faltaría quien murmurase y dijese que era una locura* [su proyectada boda], I, 1). La preocupación por esta incógnita es patente en don Diego: su intervención anterior expresa el alivio al saber que don Epifanio pudo ser padre a esa edad.

93

DOÑA IRENE

¿Pues no ha de ser?

DON DIEGO

... un embeleso el verlos juguetear y reír, y acariciarlos, y merecer sus fiestecillas inocentes.

DOÑA IRENE

¡Hijos de mi vida! Veinte y dos he tenido en los tres matrimonios que llevo hasta ahora, de los cuales sólo esta niña me ha venido a quedar; pero le aseguro a usted que...[88]

ESCENA V

SIMÓN, DOÑA IRENE, DON DIEGO

SIMÓN

(Sale por la puerta del foro.) Señor, el mayoral está esperando.

DON DIEGO

Dile que voy allá... ¡Ah! Tráeme primero el sombrero y el bastón, que quisiera dar una vuelta por el campo. *(Entra Simón al cuarto de don Diego, saca un sombrero y un bastón, se los da a su amo y, al fin de la escena, se va con él por la puerta del foro.)* Conque supongo que mañana tempranito saldremos.

---

[88] A pesar de la alta mortalidad infantil de la época (Moratín había perdido a sus tres hermanos a corta edad), el número de hijos tan elevado parece exageración cómica. También deformaba la realidad Cadalso al referir de su abuelo, padre de diez hijos, que «entre los de su matrimonio y los de las primeras nupcias me dio mi abuelo un padre y veinte y ocho tíos y tías, de los cuales la mayor parte han muerto, quedando sólo dos», *Escritos autobiográficos,* pág. 4.

No hay dificultad. A la hora que a usted le parezca.

DON DIEGO

A eso de las seis, ¿eh?

DOÑA IRENE

Muy bien.

DON DIEGO

El sol nos da de espaldas... Le diré que venga una media hora antes.

DOÑA IRENE

Sí, que hay mil chismes que acomodar.

ESCENA VI

DOÑA IRENE, RITA

DOÑA IRENE

¡Válgame Dios! Ahora que me acuerdo... ¡Rita!... Me le habrán dejado morir. ¡Rita!

RITA

Señora. *(Saca debajo del brazo almohadas y sábanas.)*

95

DOÑA IRENE

¿Qué has hecho del tordo?[89] ¿Le diste de comer?

RITA

Sí, señora. Más ha comido que un avestruz. Ahí le puse en la ventana del pasillo.

DOÑA IRENE

¿Hiciste las camas?

RITA

La de usted ya está. Voy a hacer esotras antes que anochezca[90], porque si no, como no hay más alumbrado que el del candil, y no tiene garabato[91], me veo perdida.

DOÑA IRENE

Y aquella chica ¿qué hace?

RITA

Está desmenuzando un bizcocho para dar de cenar a don Periquito[92].

DOÑA IRENE

¡Qué pereza tengo de escribir! *(Se levanta y se entra en su cuarto.)* Pero es preciso, que estará con mucho cuidado la pobre Circuncisión.

---

[89] El *tordo* «es reflejo de la beatería de doña Irene y símbolo claro de la situación en que se encuentran los sentimientos contradictorios de la niña» (Pérez Magallón, 1994: 302).
[90] *esotras:* 'esas otras', a veces —como aquí— mero equivalente de 'las otras'.
[91] *garabato:* 'gancho para colgar'.
[92] «Este modo de personificar al pájaro pretende contribuir a su individualización» (Pérez Magallón, 1994: 184 n.).

¡Qué chapucerías![93] No ha dos horas, como quien dice, que salimos de allá y ya empiezan a ir y venir correos. ¡Qué poco me gustan a mí las mujeres gazmoñas y zalameras![94] *(Éntrase en el cuarto de doña Francisca.)*

ESCENA VII

Calamocha

Calamocha

(Sale por la puerta del foro con unas maletas, botas y látigos. Lo deja todo sobre la mesa y se sienta.) ¿Conque ha de ser el número tres?[95] Vaya en gracia... Ya, ya conozco el tal número tres. Colección de bichos más abundantes no la tiene el Gabinete de Historia Natural...[96] Miedo me da de entrar... ¡Ay, ay!... ¡Y qué agujetas! Éstas sí que son agujetas... Paciencia, pobre Calamocha, paciencia... Y gracias a que los caballitos dijeron: no podemos más, que si no, por esta vez no veía yo el número tres, ni las plagas de Faraón que tiene dentro... En fin, como los animales amanezcan vivos, no será poco... Reventados están... *(Canta Rita desde adentro. Calamocha se levanta*

---

[93] *chapucerías:* 'necedades'.

[94] *gazmoñas:* 'excesivamente escrupulosas'; *zalameras:* 'que hacen demostraciones afectadas de cariño'.

[95] El número de la habitación. Recuérdese que en la primera acotación de la obra se indicaba que estaban numeradas.

[96] La cómica alusión sirve también para situarnos en el contexto ilustrado del interés por las ciencias naturales: el criado Calamocha sabría del *Gabinete de Historia Natural* por haber acompañado a don Carlos o haberle oído hablar de él. Fue fundado por Carlos III en 1771 y pronto se trasladó al edificio del actual Museo del Prado.

desperezándose.) ¡Oiga!... ¿Seguidillitas?...[97] Y no canta mal... Vaya, aventura tenemos... ¡Ay, qué desvencijado estoy!

ESCENA VIII

RITA, CALAMOCHA

RITA

Mejor es cerrar, no sea que nos alivien de ropa y... *(Forcejeando para echar la llave.)* Pues cierto que está bien acondicionada la llave[98].

CALAMOCHA

¿Gusta usted de que eche una mano, mi vida?

RITA

Gracias, mi alma.

CALAMOCHA

¡Calle!... ¡Rita!

RITA

¡Calamocha!

CALAMOCHA

¿Qué hallazgo es éste?

---

[97] La seguidilla, composición métrica de cuatro o siete versos, era utilizada en los cantos populares desde el Siglo de Oro.

[98] *bien acondicionada:* 'suave', irónicamente.

¿Y tu amo?

CALAMOCHA

Los dos acabamos de llegar.

RITA

¿De veras?

CALAMOCHA

No, que es chanza[99]. Apenas recibió la carta de doña Paquita, yo no sé adónde fue ni con quién habló ni cómo lo dispu-
so; sólo sé decirte que aquella tarde salimos de Zaragoza. Hemos venido como dos centellas por ese camino. Llegamos
esta mañana a Guadalajara y, a las primeras diligencias[100], nos
hallamos con que los pájaros volaron ya. A caballo otra vez,
y vuelta a correr y a sudar y a dar chasquidos... En suma, mo-
lidos los rocines y nosotros a medio moler, hemos parado
aquí con ánimo de salir mañana... Mi teniente se ha ido al
Colegio Mayor a ver a un amigo mientras se dispone algo que
cenar...[101] Esta es la historia.

RITA

¿Conque le tenemos aquí?

---

[99] Juega —de modo irónico— con la oposición «burlas / veras», frecuentemente utilizada desde el Siglo de Oro.

[100] *diligencias:* 'averiguaciones'.

[101] En referencia al Colegio Mayor de San Ildefonso. Carlos III había ini-
ciado una reforma en 1771 de los Colegios Mayores universitarios para ade-
cuarlos a sus proclamados fines, residencia de estudiantes pobres, frente a lo
que se habían convertido: centros de poder que repartían los cargos de la alta
administración entre sus miembros, pertenecientes en exclusiva a la aristocracia. Curiosamente, también Cadalso se detiene en Alcalá con un amigo colegial: «Hospedóme con mucha amistad en su cuarto don Gerónimo Moreno,
colegial de San Ildefonso», *Escritos autobiográficos,* pág. 14.

Y enamorado más que nunca, celoso, amenazando vidas...
Aventurado a quitar el hipo a cuantos le disputen la posesión
de su Currita idolatrada[102].

RITA

¿Qué dices?

CALAMOCHA

Ni más ni menos.

RITA

¡Qué gusto me das!... Ahora sí se conoce que la tiene amor.

CALAMOCHA

¿Amor?... ¡Friolera!...[103] El moro Gazul fue para con él un
pelele, Medoro un zascandil y Gaiferos un chiquillo de la
doctrina[104].

RITA

¡Ay, cuando la señorita lo sepa!

---

[102] *Currita* es el hipocorístico más popular de Francisca. Las palabras del
criado, sin duda exageradas, ofrecen una clara imagen de la fuerza del amor
que siente don Carlos.

[103] *Friolera:* 'cosa de poca importancia'; como exclamación tiene un valor
irónico.

[104] Ejemplos literarios de enamorados: «el valeroso» *Gazul* aparece en romances moriscos (en *Las guerras civiles de Granada* de Ginés Pérez de Hita, lectura infantil de Moratín); *Medoro* es el esposo de Angélica en el *Orlando furio-
so* de Ariosto, personajes del romance de Góngora *Angélica y Medoro; Gaiferos,*
primo de Roldán, aparece en romances de tema carolingio liberando a su esposa Melisendra, prisionera de los moros (y también en el *Quijote,* II, 25 y 64);
chiquillo de la doctrina: 'huérfano acogido en algún establecimiento religioso'.

Pero acabemos. ¿Cómo te hallo aquí? ¿Con quién estás? ¿Cuándo llegaste? Qué...

RITA

Yo te lo diré. La madre de doña Paquita dio en escribir cartas y más cartas diciendo que tenía concertado su casamiento en Madrid con un caballero rico, honrado, bien quisto[105], en suma, cabal y perfecto, que no había más que apetecer. Acosada la señorita con tales propuestas y angustiada incesantemente con los sermones de aquella bendita monja, se vio en la necesidad de responder que estaba pronta a todo lo que la mandasen... Pero no te puedo ponderar cuánto lloró la pobrecita, qué afligida estuvo. Ni quería comer, ni podía dormir... Y, al mismo tiempo, era preciso disimular para que su tía no sospechara la verdad del caso. Ello es que cuando, pasado el primer susto, hubo lugar de discurrir escapatorias y arbitrios[106], no hallamos otro que el de avisar a tu amo, esperando que, si era su cariño tan verdadero y de buena ley como nos había ponderado, no consentiría que su pobre Paquita pasara a manos de un desconocido, y se perdiesen para siempre tantas caricias[106 bis], tantas lágrimas y tantos suspiros estrellados en las tapias del corral. A pocos días de haberle escrito, cata el coche de colleras y el mayoral Gasparet con sus medias azules[107], y la madre y el novio que vienen por ella. Recogimos a toda prisa nuestros meriñaques[108], se atan los cofres, nos despedimos de aquellas buenas mujeres y en dos

---

[105] *bien quisto:* 'estimado, amado'.

[106] *arbitrios:* 'medios extraordinarios para lograr un fin'.

[106 bis] *caricias:* 'manifestaciones de ternura', sin contacto físico —en el valor del español clásico— (recuérdese que Rita dice: «[...] mediaba entre los dos una distancia tan grande que usted la maldijo no pocas veces...», pág. 106).

[107] *cata:* 'mira'; *coche de colleras:* 'carruaje tirado por seis caballerías aparejadas con colleras'; *Gasparet,* diminutivo catalán de Gaspar con el que Moratín individualiza al mayoral y proporciona mayor realismo.

[108] *meriñaques:* 'armazones para ensanchar las faldas'; quizá aquí, por extensión, 'pertenencias'.

latigazos llegamos antes de ayer a Alcalá. La detención ha sido para que la señorita visite a otra tía monja que tiene aquí, tan arrugada y tan sorda como la que dejamos allá. Ya la ha visto, ya la han besado bastante, una por una, todas las religiosas, y creo que mañana temprano saldremos. Por esta casualidad nos...

CALAMOCHA

Sí. No digas más... Pero... ¿Conque el novio está en la posada?

RITA

Ése es su cuarto *(Señalando el cuarto de don Diego, el de doña Irene y el de doña Francisca)*, éste el de la madre y aquél el nuestro.

CALAMOCHA

¿Cómo nuestro? ¿Tuyo y mío?[109]

RITA

No, por cierto. Aquí dormiremos esta noche la señorita y yo; porque ayer, metidas las tres en ese de enfrente, ni cabíamos de pie, ni pudimos dormir un instante, ni respirar siquiera.

CALAMOCHA

Bien. Adiós. *(Recoge los trastos que puso sobre la mesa en ademán de irse.)*

RITA

¿Y adónde?

---

[109] Equívoco de carácter cómico apropiado sólo para los criados.

CALAMOCHA

Yo me entiendo... Pero el novio ¿trae consigo criados, amigos o deudos que le quiten la primera zambullida que le amenaza?[110]

RITA

Un criado viene con él.

CALAMOCHA

¡Poca cosa!... Mira, dile en caridad que se disponga[111], porque está de peligro[112]. Adiós.

RITA

¿Y volverás presto?

CALAMOCHA

Se supone. Estas cosas piden diligencia y, aunque apenas puedo moverme, es necesario que mi teniente deje la visita y venga a cuidar de su hacienda, disponer el entierro de ese hombre y... ¿Conque ése es nuestro cuarto, eh?

RITA

Sí. De la señorita y mío.

CALAMOCHA

¡Bribona!

---

[110] *deudos:* 'parientes'; *zambullida:* 'estocada'.

[111] Por elipsis, a bien morir.

[112] 'está en peligro', con un régimen preposicional frecuente en el XVIII.

RITA

¡Botarate! Adiós.

CALAMOCHA

Adiós, aborrecida[113]. *(Éntrase con los trastos en el cuarto de don Carlos.)*

ESCENA IX

DOÑA FRANCISCA, RITA

RITA

¡Qué malo es!... Pero... ¡Válgame Dios! ¡Don Félix aquí!... Sí, la quiere, bien se conoce... *(Sale Calamocha del cuarto de don Carlos y se va por la puerta del foro.)* ¡Oh! Por más que digan, los hay muy finos[114], y entonces, ¿qué ha de hacer una?... Quererlos, no tiene remedio, quererlos... Pero ¿qué dirá la señorita cuando le vea, que está ciega por él? ¡Pobrecita! ¿Pues no sería una lástima que...? Ella es.

DOÑA FRANCISCA

¡Ay, Rita!

RITA

¿Qué es eso? ¿Ha llorado usted?

---

[113] Los términos utilizados en la despedida, de un modo afectivo a pesar de su carácter, eran propios de las clases bajas. De esta forma, Moratín consigue cierto desenfado en el diálogo, como corresponde a los criados (lo que en el XVIII se llamaba «aire de taco»).

[114] *finos:* 'de un sentimiento puro e intenso'.

Doña Francisca

¿Pues no he de llorar? Si vieras mi madre... Empeñada está en que he de querer mucho a ese hombre... Si ella supiera lo que sabes tú, no me mandaría cosas imposibles... Y que es tan bueno, y que es rico, y que me irá tan bien con él... Se ha enfadado tanto, y me ha llamado picarona[115], inobediente... ¡Pobre de mí! Porque no miento ni sé fingir, por eso me llaman picarona.

Rita

Señorita, por Dios, no se aflija usted.

Doña Francisca

Ya, como tú no lo has oído... Y dice que don Diego se queja de que yo no le digo nada... Harto le digo, y bien he procurado hasta ahora mostrarme contenta delante de él, que no lo estoy, por cierto, y reírme y hablar niñerías... Y todo por dar gusto a mi madre, que si no... Pero bien sabe la Virgen que no me sale del corazón. *(Se va oscureciendo lentamente el teatro)*[116].

Rita

Vaya, vamos, que no hay motivos todavía para tanta angustia... ¿Quién sabe?... ¿No se acuerda usted ya de aquel día de asueto que tuvimos el año pasado en la casa de campo del intendente?[117]

Doña Francisca

¡Ay! ¿Cómo puedo olvidarlo?... ¿Pero qué me vas a contar?

---

[115] *picarona:* 'maliciosa'.
[116] El progresivo oscurecimiento de la escena adquiere un valor simbólico, unido al aumento del dolor y de la angustia que sufre Paquita. La acotación la incorpora Moratín en la edición de París, 1825.
[117] *intendente:* 'inspector, representante del gobierno en un lugar' (será citado de nuevo en III, 10).

Quiero decir que aquel caballero que vimos allí con aquella cruz verde[118], tan galán, tan fino...

DOÑA FRANCISCA

¡Qué rodeos!... Don Félix. ¿Y qué?

RITA

Que nos fue acompañando hasta la ciudad...

DOÑA FRANCISCA

Y bien... Y luego volvió, y le vi, por mi desgracia, muchas veces... Mal aconsejada de ti[119].

RITA

¿Por qué, señora?... ¿A quién dimos escándalo? Hasta ahora nadie lo ha sospechado en el convento. Él no entró jamás por las puertas, y, cuando de noche hablaba con usted, mediaba entre los dos una distancia tan grande que usted la maldijo no pocas veces... Pero esto no es el caso. Lo que voy a decir es que un amante como aquél no es posible que se olvide tan presto de su querida Paquita...[120] Mire usted que todo cuanto hemos leído a hurtadillas en las novelas no equivale a lo que hemos visto en él...[121] ¿Se acuerda usted de aquellas

---

[118] La *cruz verde* era la propia de la orden de Alcántara, que se había dicho (I, 1) había recibido don Carlos. Los espectadores podrían realizar la identificación.

[119] Al echar la culpa a la criada, se resalta la inocencia de Paquita y la espontaneidad de su amor.

[120] *amante:* 'enamorado'.

[121] Obsérvese cómo la dejación de responsabilidad de los padres en la educación de las hijas al internarlas en un convento, al igual que la recibida por Paquita, tiene como consecuencia que, en lo referente al amor (y a la forma-

tres palmadas que se oían entre once y doce de la noche, de aquella sonora punteada con tanta delicadeza y expresión?[122]

DOÑA FRANCISCA

¡Ay, Rita! Sí, de todo me acuerdo, y mientras viva conservaré la memoria... Pero está ausente... y entretenido acaso con nuevos amores. *thinks he has other lovers*

RITA

Eso no lo puedo yo creer.

DOÑA FRANCISCA

Es hombre, al fin, y todo ellos...

RITA

¡Qué bobería! Desengáñese usted, señorita. Con los hombres y las mujeres sucede lo mismo que con los melones de Añover[123]. Hay de todo; la dificultad está en saber escogerlos. El que se lleve chasco en la elección, quéjese de su mala suerte, pero no desacredite la mercancía... Hay hombres muy embusteros, muy picarones; pero no es creíble que lo sea el que ha dado pruebas tan repetidas de perseverancia y amor. Tres meses duró el terrero y la conversación a oscuras[124], y en todo aquel tiempo bien sabe usted que no vimos en él una acción

3 months in love

---

ción de una familia), debe realizarse *a hurtadillas* y por fuentes tan poco recomendables como las *novelas* (seguramente las amorosas de María de Zayas y Pérez de Montalbán, como la Clara de *La mojigata* en versiones manuscritas).

[122] *sonora:* instrumento musical de cuerda, parecido al arpa.

[123] El paralelo entre la elección de pareja y la del melón (los de *Añover* eran singularmente conocidos), explicado por el inevitable grado de incertidumbre en los dos casos, debía de ser bastante popular, a juzgar por la abundancia de refranes existentes.

[124] *terrero:* 'galanteo desde la calle'. La Inquisición consideró «indecente» la indicación *a oscuras* (en Fernández Nieto, 1970: 28 y 32).

107

descompuesta[125], ni oímos de su boca una palabra indecente ni atrevida.

DOÑA FRANCISCA

Es verdad. Por eso le quise tanto, por eso le tengo tan fijo aquí... aquí... *(Señalando el pecho.)* ¿Qué habrá dicho al ver la carta?... ¡Oh! Yo bien sé lo que habrá dicho...: «¡Válgate Dios! ¡Es lástima! Cierto[126]. ¡Pobre Paquita!...» Y se acabó... No habrá dicho más... Nada más.

RITA

No, señora, no ha dicho eso.

DOÑA FRANCISCA

¿Qué sabes tú?

RITA

Bien lo sé. Apenas haya leído la carta se habrá puesto en camino y vendrá volando a consolar a su amiga... Pero... *(Acercándose a la puerta del cuarto de doña Irene.)*

DOÑA FRANCISCA

¿Adónde vas?

RITA

Quiero ver si...

DOÑA FRANCISCA

Está escribiendo.

---

[125] *descompuesta:* 'atrevida, desvergonzada'.
[126] *cierto:* 'ciertamente'.

RITA

Pues ya presto habrá de dejarlo, que empieza a anochecer...
Señorita, lo que la he dicho a usted es la verdad pura. Don Félix está ya en Alcalá.

DOÑA FRANCISCA

¿Qué dices? No me engañes.

RITA

Aquél es su cuarto... Calamocha acaba de hablar conmigo.

DOÑA FRANCISCA

¿De veras?

RITA

Sí, señora... Y le ha ido a buscar para...

DOÑA FRANCISCA

¿Conque me quiere?... ¡Ay, Rita! Mira tú si hicimos bien de
avisarle... Pero ¿ves qué fineza?...[127] ¿Si vendrá bueno?[128]
¡Correr tantas leguas sólo por verme... porque yo se lo mando!... ¡Qué agradecida le debo estar!... ¡Oh!, yo le prometo
que no se quejará de mí. Para siempre agradecimiento y amor.

RITA

Voy a traer luces. Procuraré detenerme por allá abajo hasta
que vuelvan... Veré lo que dice y qué piensa hacer porque,
hallándonos todos aquí, pudiera haber una de Satanás entre la

---

[127] *fineza:* 'cuidado singular de complacer a quien se ama'.
[128] *bueno:* 'sano'.

must plan well

madre, la hija, el novio y el amante; y si no ensayamos bien esta contradanza[129], nos hemos de perder en ella.

DOÑA FRANCISCA

Dices bien... Pero no; él tiene resolución y talento, y sabrá determinar lo más conveniente... ¿Y cómo has de avisarme?... Mira que así que llegue le quiero ver.

RITA

No hay que dar cuidado. Yo le traeré por acá, y en dándome aquella tosecilla seca... ¿Me entiende usted?

DOÑA FRANCISCA

Sí, bien.

RITA

Pues entonces no hay más que salir con cualquier excusa. Yo me quedaré con la señora mayor, la hablaré de todos sus maridos y de sus concuñados[130] y del obispo que murió en el mar... Además, que si está allí don Diego...

DOÑA FRANCISCA

Bien, anda; y así que llegue...

RITA

Al instante.

DOÑA FRANCISCA

Que no se te olvide toser.

---

[129] *contradanza*: 'baile en el que participa un número variable de personas, organizadas en dos filas que unifican los movimientos'.
[130] *concuñados*: 'hermanos de los cuñados'.

110

RITA

No haya miedo.

DOÑA FRANCISCA

¡Si vieras qué consolada estoy! — happier now

RITA

Sin que usted lo jure lo creo.

DOÑA FRANCISCA

¿Te acuerdas cuando me decía que era imposible apartarme de su memoria, que no habría peligros que le detuvieran ni dificultades que no atropellara por mí?

RITA

Sí, bien me acuerdo.

DOÑA FRANCISCA

¡Ah!... Pues mira cómo me dijo la verdad. *(Doña Francisca se va al cuarto de doña Irene; Rita, por la puerta del foro.)*

Acto II

ESCENA PRIMERA

Doña Francisca

Nadie parece aún...[1] *(Teatro oscuro. Doña Francisca se acerca a la puerta del foro y vuelve.)* ¡Qué impaciencia tengo!... Y dice mi madre que soy una simple, que sólo pienso en jugar y reír y que no sé lo que es amor... Sí, diecisiete años y no cumplidos, pero ya sé lo que es querer bien, y la inquietud y las lágrimas que cuesta.

ESCENA II

Doña Irene, Doña Francisca

Doña Irene

Sola y a oscuras me habéis dejado allí.

Doña Francisca

Como estaba usted acabando su carta, mamá, por no estorbarla me he venido aquí, que está mucho más fresco.

---

[1] *parece:* 'aparece'.

DOÑA IRENE

Pero aquella muchacha ¿qué hace que no trae una luz? Para cualquiera cosa se está un año... Y yo, que tengo un genio como una pólvora... *(Siéntase.)* Sea todo por Dios... ¿Y don Diego? ¿No ha venido?

DOÑA FRANCISCA

Me parece que no.

DOÑA IRENE

Pues cuenta, niña, con lo que te he dicho ya. Y mira que no gusto de repetir una cosa dos veces. Este caballero está sentido, y con muchísima razón...

DOÑA FRANCISCA

Bien, sí señora, ya lo sé. No me riña usted más.

DOÑA IRENE

No es esto reñirte, hija mía, esto es aconsejarte. Porque como tú no tienes conocimiento para considerar el bien que se nos ha entrado por las puertas... Y lo atrasada que me coge[2], que yo no sé lo que hubiera sido de tu pobre madre... Siempre cayendo y levantando... Médicos, botica... Que se dejaba pedir aquel caribe de don Bruno (Dios le haya coronado de gloria) los veinte y los treinta reales por cada papelillo de píldoras de coloquíntida y asafétida...[3] Mira que un casamiento como el que vas a hacer muy pocas le consiguen. Bien que a las oraciones de tus tías, que son unas bienaventu-

---

    [2] *atrasada:* 'arruinada'.
    [3] *caribe:* 'cruel, sanguinario', figuradamente (por cobrar el boticario tan elevados precios); *coloquíntida:* purgante; *asafétida:* antiespasmódico (la especial sonoridad de estos términos acentuaría la comicidad de la frase).

radas, debemos agradecer esta fortuna, y no a tus méritos ni a mi diligencia... ¿Qué dices?[4]

DOÑA FRANCISCA

Yo, nada, mamá.

DOÑA IRENE

Pues nunca dices nada. ¡Válgame Dios, señor!... En hablándote de esto no te ocurre nada que decir[5].

ESCENA III

RITA, DOÑA IRENE, DOÑA FRANCISCA

(Sale Rita por la puerta del foro con luces y las pone sobre la mesa.)

DOÑA IRENE

Vaya, mujer, yo pensé que en toda la noche no venías.

RITA

Señora, he tardado porque han tenido que ir a comprar las velas. Como el tufo del velón la hace a usted tanto daño[6].

---

[4] Hay cierto parecido, en la actitud de madre e hija, a Marivaux, *L'école des mères*, 5.

[5] La construcción de *en* precediendo a un gerundio, desusada hoy, es frecuente en Moratín. El verbo «ocurrir» no era pronominal en el siglo XVIII *(no te ocurre)*.

[6] El *velón* es una lámpara metálica de aceite, que produce un humo *(tufo)* negro y espeso.

Doña Irene

Seguro que me hace muchísimo mal, con esta jaqueca que padezco... Los parches de alcanfor al cabo tuve que quitármelos[7], ¡si no me sirvieron de nada! Con las obleas me parece que me va mejor...[8] Mira, deja una luz ahí y llévate la otra a mi cuarto, y corre la cortina, no se me llene todo de mosquitos.

Rita

Muy bien. *(Toma una luz y hace que se va.)*

Doña Francisca

(Aparte, a Rita.) ¿No ha venido?

Rita

Vendrá.

Doña Irene

Oyes, aquella carta que está sobre la mesa, dásela al mozo de la posada para que la lleve al instante al correo... *(Vase Rita al cuarto de doña Irene.)* Y tu, niña, ¿qué has de cenar? Porque será menester recogernos presto para salir mañana de madrugada.

Doña Francisca

Como las monjas me hicieron merendar...

---

[7] *parches:* 'cataplasmas'.
[8] *obleas:* 'masa fina con que se recubría el medicamento'.

DOÑA IRENE

Con todo eso... Siquiera unas sopas del puchero para el abrigo del estómago... *(Sale Rita con una carta en la mano, y hasta el fin de la escena hace que se va y vuelve, según lo indica el diálogo.)* Mira, has de calentar el caldo que apartamos al medio día, y haznos un par de tazas de sopas, y tráetelas luego que estén.

RITA

¿Y nada más?

DOÑA IRENE

No, nada más... ¡Ah!, y házmelas bien caldositas.

RITA

Sí, ya lo sé.

DOÑA IRENE

Rita.

RITA

(Aparte.) Otra[9]. ¿Qué manda usted?

DOÑA IRENE

Encarga mucho al mozo que lleve la carta al instante... Pero no, señor, mejor es... No quiero que la lleve él, que son unos borrachones, que no se les puede... Has de decir a Simón que digo yo que me haga el gusto de echarla en el correo. ¿Lo entiendes?

---

[9] «Como interjección se usa para expresar el enfado de una repetición molesta» (Terreros, *Diccionario*).

Sí, señora.

DOÑA IRENE

¡Ah!, mira.

RITA

(Aparte.) Otra.

DOÑA IRENE

Bien que ahora no corre prisa... Es menester que luego me saques de ahí al tordo y colgarle por aquí, de modo que no se caiga y se me lastime... *(Vase Rita por la puerta del foro.)* ¡Qué noche tan mala me dio!... ¡Pues no estuvo el animal toda la noche de Dios rezando el *Gloria Patri* y la oración del Santo Sudario!... Ello, por otra parte, edificaba, cierto. Pero cuando se trata de dormir...[10]

ESCENA IV

DOÑA IRENE, DOÑA FRANCISCA

DOÑA IRENE

Pues mucho será que don Diego no haya tenido algún encuentro por ahí y eso le detenga. Cierto que es un señor muy mirado, muy puntual... ¡Tan buen cristiano! ¡Tan atento! ¡Tan

---

[10] La Inquisición propuso suprimir este fragmento «por irrisorio de las cosas buenas y santas» (en Fernández Nieto, 1970: 28). La gazmoñería del tordo es semejante a la de la dueña (Andioc, 1968: 207 n.).

bien hablado! ¡Y con qué garbo y generosidad se porta!...[11] Ya se ve, un sujeto de bienes y de posibles...[12] ¡Y qué casa tiene! Como un ascua de oro la tiene... Es mucho aquello. ¡Qué ropa blanca! ¡Qué batería de cocina! ¡Y qué despensa, llena de cuanto Dios crió!... Pero tú no parece que atiendes a lo que estoy diciendo[13].

DOÑA FRANCISCA

Sí, señora, bien lo oigo, pero no la quería interrumpir a usted.

DOÑA IRENE

Allí estarás, hija mía, como el pez en el agua. Pajaritas del aire que apetecieras las tendrías, porque como él te quiere tanto y es un caballero tan de bien y tan temeroso de Dios... Pero mira, Francisquita, que me cansa de veras el que siempre que te hablo de esto hayas dado en la flor de no responderme palabra...[14] ¡Pues no es cosa particular, señor!

DOÑA FRANCISCA

Mamá, no se enfade usted.

DOÑA IRENE

No es buen empeño de... ¿Y te parece a ti que no sé yo muy bien de dónde viene todo eso?... ¿No ves que conozco las locuras que se te han metido en esa cabeza de chorlito?... ¡Perdóneme Dios!

---

[11] *garbo:* 'liberalidad'.
[12] *posibles:* 'medios económicos'.
[13] Con este comentario queda en evidencia que Paquita no se siente deslumbrada por las riquezas de don Diego.
[14] *en la flor:* 'en el vicio'.

DOÑA FRANCISCA

Pero... ¿Pues qué sabe usted?

DOÑA IRENE

¿Me quieres engañar a mí, eh? ¡Ay, hija! He vivido mucho, y tengo yo mucha trastienda y mucha penetración para que tú me engañes[15].

DOÑA FRANCISCA

(Aparte.) ¡Perdida soy!

DOÑA IRENE

Sin contar con su madre... Como si tal madre no tuviera... Yo te aseguro que aunque no hubiera sido con esta ocasión, de todos modos era ya necesario sacarte del convento. Aunque hubiera tenido que ir a pie y sola por ese camino, te hubiera sacado de allí... ¡Mire usted qué juicio de niña éste! Que porque ha vivido un poco de tiempo entre monjas ya se la puso en la cabeza el ser ella monja también...[16] Ni qué entiende ella de eso, ni qué... En todos los estados se sirve a Dios, Frasquita, pero el complacer a su madre, asistirla, acompañarla y ser el consuelo de sus trabajos, ésa es la primera obligación de una hija obediente[17]. Y sépalo usted si no lo sabe.

DOÑA FRANCISCA

Es verdad, mamá... Pero yo nunca he pensado abandonarla a usted.

---

[15] *trastienda:* 'cautela, astucia'.

[16] Ante el desinterés de Paquita por los méritos de don Diego, la madre deduce una conclusión equivocada, como la madre de Angélique en *L'école des mères*, 4, de Marivaux.

[17] La Inquisición consideraba esta última una proposición «errónea, temeraria, impía» (en Fernández Nieto, 1970: 28), proponiendo suprimirla.

120

Sí, que no sé yo...

DOÑA FRANCISCA

No, señora. Créame usted. La Paquita nunca se apartará de su madre, ni la dará disgustos.

DOÑA IRENE

Mira si es cierto lo que dices.

DOÑA FRANCISCA

Sí, señora, que yo no sé mentir.

DOÑA IRENE

Pues, hija, ya sabes lo que te he dicho. Ya ves lo que pierdes y la pesadumbre que me darás si no te portas en todo como corresponde... Cuidado con ello.

DOÑA FRANCISCA

(Aparte.) ¡Pobre de mí!

ESCENA V

DON DIEGO, DOÑA IRENE, DOÑA FRANCISCA

(Sale don Diego por la puerta del foro y deja sobre la mesa sombrero y bastón.)

DOÑA IRENE

¿Pues cómo tan tarde?

Apenas salí tropecé con el rector de Málaga y el doctor Padilla, y hasta que me han hartado bien de chocolate y bollos no me han querido soltar...[18] *(Siéntase junto a doña Irene.)* Y a todo esto, ¿cómo va?

DOÑA IRENE

Muy bien.

DON DIEGO

¿Y doña Paquita?

DOÑA IRENE

Doña Paquita siempre acordándose de sus monjas. Ya la digo que es tiempo de mudar de bisiesto[19] y pensar sólo en dar gusto a su madre y obedecerla.

DON DIEGO

¡Qué diantre! ¿Conque tanto se acuerda de...?

DOÑA IRENE

¿Qué se admira usted? Son niñas... No saben lo que quieren ni lo que aborrecen... En una edad, así, tan...

---

[18] Moratín sustituyó «padre guardián de San Diego» por «rector de Málaga» (del Colegio Menor de San Ciríaco y Santa Paula, o de Málaga) en la edición de 1825. La Inquisición consideró que el hartazgo de bollos y chocolate (por el que Moratín sentía verdadera predilección) ofrecía una imagen negativa de un eclesiástico (en Fernández Nieto, 1970: 32-33).

[19] 'cambiar de sistema'.

Don Diego

No, poco a poco[20], eso no. Precisamente en esa edad son las pasiones algo más enérgicas y decisivas que en la nuestra y, por cuanto la razón se halla todavía imperfecta y débil, los ímpetus del corazón son mucho más violentos... *(Asiendo de una mano a doña Francisca, la hace sentar inmediata a él.)* Pero de veras, doña Paquita, ¿se volvería usted al convento de buena gana?... La verdad.

Doña Irene

Pero si ella no...

Don Diego

Déjela usted, señora, que ella responderá.

Doña Francisca

Bien sabe usted lo que acabo de decirla...[21]. No permita Dios que yo la dé que sentir.

Don Diego

Pero eso lo dice usted tan afligida y...

Doña Irene

Si es natural, señor. ¿No ve usted que...?

Don Diego

Calle usted, por Dios, doña Irene, y no me diga usted a mí lo que es natural. Lo que es natural es que la chica esté llena

---

[20] *poco a poco:* 'alto ahí' (como interjección).
[21] «Paquita dirige muy significativamente su respuesta a doña Irene, y no a don Diego, que es quien le pregunta» (Pérez Magallón, 1994: 200 n.).

123

de miedo y no se atreva a decir una palabra que se oponga a lo que su madre quiere que diga... Pero si esto hubiese, por vida mía, que estábamos lucidos.

Doña Francisca

No, señor; lo que dice su merced eso digo yo, lo mismo. Porque en todo lo que me mande la obedeceré.

Don Diego

¡Mandar, hija mía!... En estas materias tan delicadas los padres que tienen juicio no mandan. Insinúan, proponen, aconsejan; eso sí, todo eso sí, ¡pero mandar!... ¿Y quién ha de evitar después las resultas funestas de lo que mandaron?...[22] Pues ¿cuántas veces vemos matrimonios infelices, uniones monstruosas, verificadas solamente porque un padre tonto se metió a mandar lo que no debiera?...[23] ¡Eh! ¡No señor, eso no va bien!...[24] Mire usted, doña Paquita, yo no soy de aquellos hombres que se disimulan los defectos. Yo sé que ni mi figura ni mi edad son para enamorar perdidamente a nadie; pero tampoco he creído imposible que una muchacha de juicio y bien criada llegase a quererme con aquel amor tranquilo y constante que tanto se parece a la amistad y es el único que puede hacer los matrimonios felices. Para conseguirlo no he ido a buscar ninguna hija de familia de estas que viven en una decente libertad...[25] Decente, que yo no culpo lo que no se opone al ejercicio de la virtud. ¿Pero cuál sería entre todas ellas la que

---

[22] *resultas:* 'consecuencias, efectos'.

[23] Moratín suprimió, en la edición de 1825, una extensa frase del texto de 1805 y 1806: «¿cuántas veces una desdichada mujer halla anticipada la muerte en el encierro de un claustro porque su madre o su tío se empeñaron en regalar a Dios lo que Dios no quería?» La Inquisición, sin embargo, no había percibido inconveniencia alguna. Quizá Moratín —más que autocensurarse— pretendió rebajar el dramatismo del parlamento. En *El viejo y la niña* la protagonista, Isabel, ingresa en un convento como una forma de suicidio atenuado ante el fracaso de un matrimonio impuesto.

[24] *no va bien:* 'no es acertar el camino'.

[25] Es decir, que viven en relación social, no recluidas en el convento como Paquita.

no estuviese ya prevenida en favor de otro amante más apetecible que yo? Y en Madrid, figúrese usted en un Madrid...[26] Lleno de estas ideas me pareció que tal vez hallaría en usted todo cuanto yo deseaba.

DOÑA IRENE

Y puede usted creer, señor don Diego, que...

DON DIEGO

Voy a acabar, señora, déjeme usted acabar. Yo me hago cargo, querida Paquita, de lo que habrán influido en una niña tan bien inclinada como usted las santas costumbres que ha visto practicar en aquel inocente asilo de la devoción y la virtud[27]; pero si, a pesar de todo esto, la imaginación acalorada, las circunstancias imprevistas, la hubiesen hecho elegir sujeto más digno, sepa usted que yo no quiero nada con violencia. Yo soy ingenuo: mi corazón y mi lengua no se contradicen jamás[28]. Esto mismo la pido a usted, Paquita: sinceridad. El cariño que a usted la tengo no la debe hacer infeliz... Su madre de usted no es capaz de querer una injusticia, y sabe muy bien

---

[26] Puede suponerse que Moratín está sugiriendo aquí la relajación de costumbres de la aristocracia madrileña contaminada de majismo, criticada por los ilustrados: Cadalso, Jovellanos, Samaniego, *El Censor*... El propio Moratín contrapone ese comportamiento madrileño a la vida sencilla de los pueblos: «no hay aquí, y es desgracia, / una juventud de alcorza, / corrompida y perfumada, / cigarrera, petulante, / ociosa, habladora y fatua, / como la que he visto yo / ir bailando contradanzas / allá en la Puerta del Sol», *El barón*, II, 5.

[27] Andioc (1968: 213 n.) ha percibido cierta ironía en estas lisonjeras palabras de don Diego hacia la educación de Paquita en el convento (visto el tipo de lecturas a las que accedía y las entrevistas con su enamorado). Pero hay que situarlas en el contexto general de la escena. Por lo demás, no debe confundirse la actitud de don Diego con la de Moratín (como acertadamente señala Busquets, 1983: 64 n.).

[28] *ingenuo*: 'sincero, franco'. La sinceridad adquiere a finales del siglo XVIII un considerable peso, en cuanto que característica del hombre de bien. Así lo expresa Moratín: «Yo no quiero mentir, ni puedo disimular, y creo que el decir la verdad francamente es la prenda más digna de un hombre de bien», *La comedia nueva*, I, 3. También el personaje de Nuño Núñez de las *Cartas marruecas* de Cadalso se caracteriza por su sinceridad (Carta I).

que a nadie se le hace dichoso por fuerza. Si usted no halla en mí prendas que la inclinen, si siente algún otro cuidadillo en su corazón[29], créame usted, la menor disimulación en esto nos daría a todos muchísimo que sentir.

DOÑA IRENE

¿Puedo hablar ya, señor?

DON DIEGO

Ella, ella debe hablar, y sin apuntador y sin intérprete.

DOÑA IRENE

Cuando yo se lo mande.

DON DIEGO

Pues ya puede usted mandárselo, porque a ella la toca responder... Con ella he de casarme; con usted no.

DOÑA IRENE

Yo creo, señor don Diego, que ni con ella ni conmigo. ¿En qué concepto nos tiene usted?... Bien dice su padrino, y bien claro me lo escribió pocos días ha, cuando le di parte de este casamiento. Que aunque no la ha vuelto a ver desde que la tuvo en la pila, la quiere muchísimo, y a cuantos pasan por el Burgo de Osma les pregunta cómo está[30], y continuamente nos envía memorias con el ordinario[31].

---

[29] *cuidadillo:* 'recelo', pero también 'enamorado'.
[30] *Burgo de Osma* es una población en la provincia de Soria que tenía una importante feria.
[31] *ordinario:* 'correo'. Frente a la petición clara y precisa de don Diego, doña Irene desviará el tema con su exasperante verborrea, en la que no podía faltar la alusión a su parentela.

Don Diego

Y bien, señora, ¿qué escribió el padrino?... O, por mejor decir, ¿qué tiene que ver nada de eso con lo que estamos hablando?

Doña Irene

Sí señor que tiene que ver, sí señor. Y aunque yo lo diga, le aseguro a usted que ni un padre de Atocha hubiera puesto una carta mejor que la que él me envió sobre el matrimonio de la niña...[32] Y no es ningún catedrático, ni bachiller[33], ni nada de eso, sino un cualquiera, como quien dice, un hombre de capa y espada[34], con un empleíllo infeliz en el ramo del viento[35], que apenas le da para comer... Pero es muy ladino[36], y sabe de todo, y tiene una labia, y escribe que da gusto... Cuasi toda la carta venía en latín[37], no le parezca a usted, y muy buenos consejos que me daba en ella...[38] Que no es posible sino que adivinase lo que nos está sucediendo.

---

[32] *padre de Atocha:* del convento dominico anejo a la basílica de Atocha en Madrid.

[33] *bachiller:* 'graduado universitario'. Era el grado más bajo, aunque con frecuencia los bachilleres se hacían pasar por licenciados.

[34] *de capa y espada:* 'sin títulos'.

[35] *ramo del viento:* 'el tributo que pagaba el forastero por los productos que vendía'.

[36] *ladino:* 'astuto'.

[37] *cuasi*, aunque vulgar, es la forma más próxima a la etimológica («quasi»), en un intento de mimetismo con la carta (de la que, conociendo la formación del *padrino*, podemos suponer su naturaleza lingüística: un latín macarrónico como medio de aparentar sabiduría).

[38] Después de escrita la obra, en 1816, Moratín se ve en la precisión de aconsejar a su joven prima Mariquita respecto al proyectado matrimonio con José Antonio Conde (veintisiete años mayor que ella), y su recomendación es bien clara (a diferencia de lo que podemos suponer de la carta llena de latinajos del padrino de doña Francisca): «¿Tú estás enamorada de él, o no? Si no es más que estimación la que profesas por sus buenas prendas, no te cases con él» *(Epistolario,* pág. 332).

DON DIEGO

Pero, señora, si no sucede nada, ni hay cosa que a usted la deba disgustar.

DOÑA IRENE

¿Pues no quiere usted que me disguste oyéndole hablar de mi hija en términos que...? ¡Ella otros amores ni otros cuidados!... Pues si tal hubiera... ¡Válgame Dios!... la mataba a golpes, mire usted... Respóndele, una vez que quiere que hables y que yo no chiste[39]. Cuéntale los novios que dejaste en Madrid cuando tenías doce años, y los que has adquirido en el convento, al lado de aquella santa mujer[40]. Díselo para que se tranquilice y...

DON DIEGO

Yo, señora, estoy más tranquilo que usted.

DOÑA IRENE

Respóndele.

DOÑA FRANCISCA

Yo no sé qué decir. Si ustedes se enfadan...

DON DIEGO

No, hija mía. Esto es dar alguna expresión a lo que se dice; pero enfadarnos, no por cierto. Doña Irene sabe lo que yo la estimo.

---

[39] *no chiste:* 'no empiece a decir algo ni haga ademán de hablar'.

[40] Aunque doña Irene quiere dar a entender lo contrario de lo que dice, los espectadores saben que Paquita había tenido ocasión de enamorarse. La Inquisición consideró que podía entenderse el consentimiento de su «santa tía» para sus reuniones con *los novios* (en Fernández Nieto, 1970: 33).

DOÑA IRENE

Sí, señor, que lo sé, y estoy sumamente agradecida a los favores que usted nos hace... Por eso mismo...

DON DIEGO

No se hable de agradecimiento; cuanto yo puedo hacer, todo es poco...[41] Quiero sólo que doña Paquita esté contenta.

DOÑA IRENE

¿Pues no ha de estarlo? Responde.

DOÑA FRANCISCA

Sí señor que lo estoy[42].

DON DIEGO

Y que la mudanza de estado que se la previene no la cueste el menor sentimiento[43].

DOÑA IRENE

No señor, todo al contrario... Boda más a gusto de todos no se pudiera imaginar[44].

---

[41] Aparece el mismo agradecimiento en Mme. Argante —y el mismo rechazo cortés de esa gratitud en M. Damis— en *L'école des mères,* 11, de Marivaux.

[42] La respuesta de Paquita está mediatizada por la madre *(¿Pues no ha de estarlo?)*. Con todo, es lo máximo que puede obtener don Diego, a pesar de sus reiterados intentos por conocer sus sentimientos.

[43] *sentimiento:* 'pesar'.

[44] Repárese que es la madre, y no doña Paquita, la que da respuesta a la pregunta clave, actuando como *apuntador* e *intérprete* (a pesar de la anterior insistencia de don Diego: *Ella, ella debe hablar, y sin apuntador y sin intérprete).*

DON DIEGO

En esa inteligencia[45], puedo asegurarla que no tendrá motivos de arrepentirse después. En nuestra compañía vivirá querida y adorada, y espero que a fuerza de beneficios he de merecer su estimación y su amistad[46].

DOÑA FRANCISCA

Gracias, señor don Diego... ¡A una huérfana, pobre, desvalida como yo!...

DON DIEGO

Pero de prendas tan estimables que la hacen a usted digna todavía de mayor fortuna[47].

DOÑA IRENE

Ven aquí, ven... Ven aquí, Paquita.

DOÑA FRANCISCA

¡Mamá! *(Levántase, abraza a su madre y se acarician mutuamente.)*

DOÑA IRENE

¿Ves lo que te quiero?

DOÑA FRANCISCA

Sí, señora.

---

[45] *inteligencia:* 'acuerdo'.
[46] *beneficios:* 'mercedes'. Sin poder obtener correspondencia del amor que ofrece a Paquita, don Diego se conforma con una esperanza de felicidad hogareña.
[47] *fortuna:* podría valer también 'éxito' («hacer fortuna» tenía el significado de 'triunfar').

130

DOÑA IRENE

¿Y cuánto procuro tu bien, que no tengo otro pío sino el de verte colocada antes que yo falte?[48]

DOÑA FRANCISCA

Bien lo conozco.

DOÑA IRENE

¡Hija de mi vida! ¿Has de ser buena?

DOÑA FRANCISCA

Sí, señora.

DOÑA IRENE

¡Ay, que no sabes tú lo que te quiere tu madre!

DOÑA FRANCISCA

Pues ¿qué? ¿No la quiero yo a usted?

DON DIEGO

Vamos, vamos de aquí. *(Levántase don Diego, y después doña Irene.)* No venga alguno y nos halle a los tres llorando como tres chiquillos[49].

---

[48] *pío:* 'vivo deseo'.

[49] Es precisamente la sentimentalidad con que termina la escena el medio del que Moratín se vale para que don Diego no insista en su propósito de conocer la voluntad de Paquita (lo que, obviamente, hubiera dado fin a la acción dramática).

Doña Irene

Sí, dice usted bien. *(Vanse los dos al cuarto de doña Irene. Doña Francisca va detrás, y Rita, que sale por la puerta del foro, la hace detener.)*

ESCENA VI

Rita, Doña Francisca

Rita

Señorita... ¡Eh!, chit... señorita.

Doña Francisca

¿Qué quieres?

Rita

Ya ha venido.

Doña Francisca

¿Cómo?

Rita

Ahora mismo acaba de llegar. Le he dado un abrazo con licencia de usted, y ya sube por la escalera.

Doña Francisca

¡Ay, Dios!... ¿Y qué debo hacer?

RITA

¡Donosa pregunta!...[50] Vaya, lo que importa es no gastar el tiempo en melindres de amor... Al asunto... y juicio...[51] Y mire usted que en el paraje en que estamos la conversación no puede ser muy larga... Ahí está.

DOÑA FRANCISCA

Sí... Él es.

RITA

Voy a cuidar de aquella gente... Valor, señorita, y resolución. *(Rita se entra en el cuarto de doña Irene.)*

DOÑA FRANCISCA

No, no, que yo también...[52] Pero no lo merece.

ESCENA VII

DON CARLOS, DOÑA FRANCISCA[53]

(Sale don Carlos por la puerta del foro.)

DON CARLOS

¡Paquita!... ¡Vida mía! Ya estoy aquí... ¿Cómo va, hermosa, cómo va?

---

[50] *donosa*: 'bella', aquí en sentido irónico.

[51] Un calificador inquisitorial propuso que se borrara esta frase «por indicativa de varios sentidos, muy equívoca y malsonante» (en Fernández Nieto, 1970: 28).

[52] El deseo de Paquita de seguir a la criada, aunque inmediatamente lo contiene, nos muestra a una muchacha que se siente superada por la situación *(mi madre [...] me ha llenado de temor,* dirá más adelante) a pesar de la firmeza de sus sentimientos.

[53] El encuentro de los dos enamorados, a solas y en penumbra, debió de verse como reprensible. De una situación semejante en *La mojigata*, se dice:

133

Doña Francisca

Bien venido.

Don Carlos

¿Cómo tan triste?... ¿No merece mi llegada más alegría?

Doña Francisca

Es verdad; pero acaban de sucederme cosas que me tienen fuera de mí... Sabe usted... Sí, bien lo sabe usted... Después de escrita aquella carta, fueron por mí...[54] Mañana a Madrid... Ahí está mi madre.

Don Carlos

¿En dónde?

Doña Francisca

Ahí, en ese cuarto. *(Señalando al cuarto de doña Irene.)*

Don Carlos

¿Sola?

Doña Francisca

No, señor.

«¡Qué libertades! ¡Qué excesos!» (II, 4). En cambio, a fines del XIX, Ventura de la Vega comentaría: «¿Y la escena en que se ven los dos amantes? ¿Hay cosa más sosa? Llenos de amor los dos, y ni se besan las manos ni se abrazan... ¡estando solos!»

[54] 'fueron a buscarme'.

Don Carlos

Estará en compañía del prometido esposo. *(Se acerca al cuarto de doña Irene, se detiene y vuelve.)* Mejor... Pero ¿no hay nadie más con ella?

Doña Francisca

Nadie más, solos están... ¿Qué piensa usted hacer?

Don Carlos

Si me dejase llevar de mi pasión y de lo que esos ojos me inspiran, una temeridad... Pero tiempo hay... Él también será hombre de honor, y no es justo insultarle porque quiere bien a una mujer tan digna de ser querida...[55] Yo no conozco a su madre de usted ni... Vamos, ahora nada se puede hacer... Su decoro de usted merece la primera atención[56].

Doña Francisca

Es mucho el empeño que tiene en que me case con él.

Don Carlos

No importa.

Doña Francisca

Quiere que esta boda se celebre así que lleguemos a Madrid.

---

[55] El respeto de don Carlos hacia un rival al que todavía no conoce, sin merma de la firmeza de su propósito, contrasta con el comportamiento irreflexivo de los galanes barrocos.

[56] *decoro:* 'honra'. Don Carlos es capaz de someter sus impulsos hasta el punto de colocar en primer lugar la preocupación por la honra de Paquita: su encuentro a solas casi a oscuras, incluso en un lugar de paso, podría ser malinterpretado si fuera descubierto.

DON CARLOS

¿Cuál?... No. Eso no.

DOÑA FRANCISCA

Los dos están de acuerdo, y dicen...

DON CARLOS

Bien... Dirán... Pero no puede ser.

DOÑA FRANCISCA

Mi madre no me habla continuamente de otra materia. Me amenaza, me ha llenado de temor... Él insta por su parte[57], me ofrece tantas cosas, me...

DON CARLOS

Y usted, ¿qué esperanza le da?... ¿Ha prometido quererle mucho?

DOÑA FRANCISCA

¡Ingrato!... ¿Pues no sabe usted que...? ¡Ingrato!

DON CARLOS

Sí, no lo ignoro, Paquita... Yo he sido el primer amor.

DOÑA FRANCISCA

Y el último.

---

[57] *insta:* 'pide con apremio'.

136

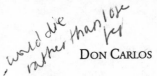

Don Carlos

Y antes perderé la vida que renunciar al lugar que tengo en ese corazón...[58] Todo él es mío... ¿Digo bien? *(Asiéndola de las manos.)*

Doña Francisca

¿Pues de quién ha de ser?

Don Carlos

¡Hermosa! ¡Qué dulce esperanza me anima!... Una sola palabra de esa boca me asegura...[59] Para todo me da valor... En fin, ya estoy aquí... ¿Usted me llama para que la defienda, la libre, la cumpla una obligación mil y mil veces prometida? Pues a eso mismo vengo yo... Si ustedes se van a Madrid mañana, yo voy también. Su madre de usted sabrá quién soy... Allí puedo contar con el favor de un anciano respetable y virtuoso, a quien más que tío debo llamar amigo y padre[60]. No tiene otro deudo más inmediato ni más querido que yo[61]; es hombre muy rico, y, si los dones de la fortuna tuviesen para usted algún atractivo, esta circunstancia añadiría felicidades a nuestra unión.

Doña Francisca

¿Y qué vale para mí toda la riqueza del mundo?[62]

---

[58] La fuerza del amor de los protagonistas, que se muestra inconmovible hasta la muerte, confiere a la escena una gran exaltación emocional (y hace planear lo que se sugerirá después ante la perspectiva del desastre: la búsqueda voluntaria de la muerte).

[59] *me asegura:* 'me da seguridad y firmeza'.

[60] Semejante confianza aducen los protagonistas de *L'école des mères*, 9, y *La mère confidante*, I, 1, de Marivaux.

[61] *deudo:* 'pariente'.

[62] La insistencia en el desinterés económico de Paquita deja como único móvil, en la aceptación de la boda con don Diego, el de la obediencia y amor a la madre.

DON CARLOS

Ya lo sé. La ambición no puede agitar a un alma tan inocente.

DOÑA FRANCISCA

Querer y ser querida... Ni apetezco más ni conozco mayor fortuna.

DON CARLOS

Ni hay otra... Pero usted debe serenarse y esperar que la suerte mude nuestra aflicción presente en durables dichas.

DOÑA FRANCISCA

¿Y qué se ha de hacer para que a mi pobre madre no la cueste una pesadumbre?... ¡Me quiere tanto!... Si acabo de decirla que no la disgustaré, ni me apartaré de su lado jamás, que siempre seré obediente y buena... ¡Y me abrazaba con tanta ternura! Quedó tan consolada con lo poco que acerté a decirla... Yo no sé, no sé qué camino ha de hallar usted para salir de estos ahogos[63].

DON CARLOS

Yo le buscaré... ¿No tiene usted confianza en mí?

DOÑA FRANCISCA

¿Pues no he de tenerla? ¿Piensa usted que estuviera yo viva si esa esperanza no me animase? Sola y desconocida de todo el mundo, ¿qué había yo de hacer? Si usted no hubiese venido, mis melancolías me hubieran muerto, sin tener a quién

---

[63] *ahogos:* 'congojas'.

138

volver los ojos ni poder comunicar a nadie la causa de ellas...
Pero usted ha sabido proceder como caballero y amante, y
acaba de darme con su venida la prueba mayor de lo mucho
que me quiere. *(Se enternece y llora.)*

DON CARLOS

¡Qué llanto!... ¡Cómo persuade!... Sí, Paquita, yo solo bas-
to para defenderla a usted de cuantos quieran oprimirla[64].
A un amante favorecido[65] ¿quién puede oponérsele? Nada
hay que temer.

DOÑA FRANCISCA

¿Es posible?

DON CARLOS

Nada... Amor ha unido nuestras almas en estrechos nudos
y sólo la muerte bastará a dividirlas[66].

ESCENA VIII

RITA, DON CARLOS, DOÑA FRANCISCA

RITA

Señorita, adentro. La mamá pregunta por usted. Voy a traer
la cena, y se van a recoger al instante... Y usted, señor galán[67],
ya puede también disponer de su persona.

---

[64] *oprimirla:* 'angustiar', 'imponerle un mal'.
[65] *favorecido:* 'correspondido'.
[66] La muerte como consecuencia de la separación de los enamorados va a
estar presente en varios momentos (véase la nota 58 del acto II).
[67] *galán:* 'enamorado', 'cortejante'.

DON CARLOS

Sí, que no conviene anticipar sospechas... Nada tengo que añadir.

DOÑA FRANCISCA

Ni yo.

DON CARLOS

Hasta mañana. Con la luz del día veremos a este dichoso competidor.

RITA

Un caballero muy honrado, muy rico, muy prudente; con su chupa larga, su camisola limpia y sus sesenta años debajo del peluquín[68]. *(Se va por la puerta del foro.)*

DOÑA FRANCISCA

Hasta mañana.

DON CARLOS

Adiós. Paquita.

DOÑA FRANCISCA

Acuéstese usted y descanse.

---

[68] *chupa:* 'prenda de vestir que cubre el tronco'; *camisola:* 'camisa con puntillas y encajes en la abertura del pecho y en los puños que se ponía encima de otra más gruesa'; el *peluquín* era un signo correspondiente a las clases acomodadas. Frente a los cincuenta y nueve años declarados por don Diego en I, 1, la criada le concede los *sesenta*.

DON CARLOS

¿Descansar con celos?

DOÑA FRANCISCA

¿De quién?

DON CARLOS

Buenas noches... Duerma usted bien, Paquita.

DOÑA FRANCISCA

¿Dormir con amor?

DON CARLOS

Adiós, vida mía.

DOÑA FRANCISCA

Adiós[69]. *(Éntrase al cuarto de doña Irene.)*

ESCENA IX

DON CARLOS, CALAMOCHA, RITA

DON CARLOS

¡Quitármela! *(Paseándose inquieto.)* No... Sea quien fuere, no me la quitará. Ni su madre ha de ser tan imprudente que se

---

[69] La estructura paralelística resalta la ternura y la lírica sencillez de la despedida.

obstine en verificar este matrimonio repugnándolo su hija...,
mediando yo... ¡Sesenta años!... Precisamente será muy
rico...[70] ¡El dinero!... Maldito él sea, que tantos desórdenes
origina.

CALAMOCHA

Pues, señor *(Sale por la puerta del foro)*, tenemos un medio cabrito asado y... a lo menos parece cabrito[71]. Tenemos una
magnífica ensalada de berros, sin anapelos ni otra materia extraña[72], bien lavada, escurrida y condimentada por estas manos pecadoras, que no hay más que pedir. Pan de Meco, vino
de la Tercia...[73] Conque, si hemos de cenar y dormir, me parece que sería bueno...

DON CARLOS

Vamos... ¿Y adónde ha de ser?

CALAMOCHA

Abajo.. Allí he mandado disponer una angosta y fementida
mesa[74], que parece un banco de herrador.

RITA

¿Quién quiere sopas? *(Sale por la puerta del foro con unos pla-
tos, taza, cuchara y servilleta.)*

---

[70] *precisamente:* 'forzosamente'.

[71] Posible reminiscencia del *Quijote*, II, 59, donde el ventero le ofrece la
cena a don Quijote: «Lo que [...] tengo son dos uñas de vaca que parecen manos de ternera, o dos manos de ternera que parecen uñas de vaca» (pág. 1110).

[72] *anapelos:* planta venenosa. Hay un refrán para el caso: «Tú que coges el
berro, guárdate del anapelo.»

[73] *Meco* es una localidad próxima a Alcalá; el *vino de la Tercia* era el renom-
brado que se vendía en las bodegas de la calle de la *Tercia* de Alcalá.

[74] *fementida:* 'que falta a la palabra'; es decir, que promete lo que no es. Recuerdo del «duro, estrecho, apocado y fementido lecho» que le corresponde a
don Quijote en la venta *(Don Quijote,* I, 16, pág. 171). El arcaísmo puesto en
boca del criado aproxima su registro lingüístico al del Siglo de Oro.

DON CARLOS

Buen provecho.

CALAMOCHA

Si hay alguna real moza que guste de cenar cabrito[75], levante el dedo.

RITA

La real moza se ha comido ya media cazuela de albondiguillas... Pero lo agradece, señor militar. *(Éntrase al cuarto de doña Irene.)*

CALAMOCHA

Agradecida te quiero yo, niña de mis ojos.

DON CARLOS

Conque ¿vamos?

CALAMOCHA

¡Ay, ay, ay!... *(Calamocha se encamina a la puerta del foro y vuelve; hablan él y don Carlos con reserva hasta que Calamocha se adelanta a saludar a Simón.)* ¡Eh, chit! Digo...

DON CARLOS

¿Qué?

CALAMOCHA

¿No ve usted lo que viene por allí?

---

[75] *real moza* es una variación cortés de la expresión «real hembra»: 'mujer con físico agraciado'.

143

DON CARLOS

¿Es Simón?

CALAMOCHA

El mismo... Pero ¿quién diablos le...?

DON CARLOS

¿Y qué haremos?

CALAMOCHA

¿Qué sé yo?... Sonsacarle, mentir y... ¿Me da usted licencia para que...?

DON CARLOS

Sí, miente lo que quieras... ¿A qué habrá venido este hombre?

ESCENA X

SIMÓN, DON CARLOS, CALAMOCHA

(Simón sale por la puerta del foro.)

CALAMOCHA

Simón, ¿tú por aquí?

SIMÓN

Adiós, Calamocha. ¿Cómo va?

144

CALAMOCHA

Lindamente.

SIMÓN

¡Cuánto me alegro de...!

DON CARLOS

¡Hombre! ¿Tú en Alcalá? ¿Pues qué novedad es ésta?

SIMÓN

¡Oh, que estaba usted ahí, señorito!... ¡Voto a sanes![76]

DON CARLOS

¿Y mi tío?

SIMÓN

Tan bueno[77].

CALAMOCHA

¿Pero se ha quedado en Madrid o...?

SIMÓN

¿Quién me había de decir a mí...? ¡Cosa como ella! Tan ajeno estaba yo ahora de... Y usted, de cada vez más guapo... ¿Conque usted irá a ver al tío, eh?

---

[76] *sanes:* plural de «san», que solo tiene uso en expresiones familiares.
[77] Entiéndase: 'tan bueno como usted'.

CALAMOCHA

Tú habrás venido con algún encargo del amo.

SIMÓN

¡Y qué calor traje, y qué polvo por ese camino! ¡Ya, ya!

CALAMOCHA

Alguna cobranza tal vez, ¿eh?

DON CARLOS

Puede ser. Como tiene mi tío ese poco de hacienda en Ajalvir...[78] ¿No has venido a eso?

SIMÓN

¡Y qué buena maula le ha salido el tal administrador![79] Labriego más marrullero y más bellaco no le hay en toda la campiña...[80] ¿Conque usted viene ahora de Zaragoza?

DON CARLOS

Pues... Figúrate tú.

SIMÓN

¿O va usted allá?

---

[78] Pueblo cercano a Alcalá. Moratín tenía una pequeña posesión, casa y huerta, en Pastrana (en La Alcarria), que le servía de recreo.

[79] *maula:* 'tramposo'. También Moratín tuvo problemas con su administrador en Pastrana, de quien se queja repetidas veces en su correspondencia.

[80] *bellaco:* 'perverso', 'astuto'.

DON CARLOS

¿Adónde?

SIMÓN

A Zaragoza. ¿No está allí el regimiento?

CALAMOCHA

Pero, hombre, si salimos el verano pasado de Madrid, ¿no habíamos de haber andado más de cuatro leguas?[81]

SIMÓN

¿Qué sé yo? Algunos van por la posta y tardan más de cuatro meses en llegar... Debe de ser un camino muy malo[82]

CALAMOCHA

(Aparte, separándose de Simón.) ¡Maldito seas tú y tu camino y la bribona que te dio papilla![83]

DON CARLOS

Pero aún no me has dicho si mi tío está en Madrid o en Alcalá, ni a qué has venido, ni...

SIMÓN

Bien, a eso voy... Sí señor, voy a decir a usted... Conque... Pues el amo me dijo...

---

[81] La *legua* es el camino que se puede hacer andando en una hora, es decir, unos cinco kilómetros.
[82] Con socarronería Simón repite, casi en los mismos términos, la queja de su amo para con su sobrino por haberse entretenido —durante tres meses— de camino a Zaragoza (I, 1).
[83] Eufemismo por «la madre que te parió».

ESCENA XI

Don Diego, Don Carlos, Simón, Calamocha

Don Diego

(Desde adentro.) No, no es menester; si hay luz aquí. Buenas noches, Rita. *(Don Carlos se turba y se aparta a un extremo del teatro.)*

Don Carlos

¡Mi tío!...[84]

Don Diego

¡Simón! *(Sale del cuarto de doña Irene, encaminándose al suyo; repara en don Carlos y se acerca a él. Simón le alumbra y vuelve a dejar la luz sobre la mesa.)*

Simón

Aquí estoy, señor.

Don Carlos

(Aparte.) ¡Todo se ha perdido![85]

---

[84] Frente a la escena anterior de intentos de averiguación y de escamoteo por las dos partes, en la que ninguno consigue la información que pretende, la presencia de don Diego le revela instantánea y dolorosamente a don Carlos quién es el prometido (de ahí su turbación al oírle).

[85] A pesar de la determinación que había demostrado, don Carlos someterá sus sentimientos al deber filial.

DON DIEGO

Vamos... Pero.. ¿quién es?

SIMÓN

Un amigo de usted, señor.

DON CARLOS

(Aparte.) ¡Yo estoy muerto!

DON DIEGO

¿Cómo un amigo?... ¿Qué?... Acerca esa luz.

DON CARLOS

Tío. *(En ademán de besar la mano a don Diego[86], que le aparta de sí con enojo.)*

DON DIEGO

Quítate de ahí.

DON CARLOS

Señor.

DON DIEGO

Quítate... No sé cómo no le... ¿Qué haces aquí?

DON CARLOS

Si usted se altera y...

---

[86] Era signo de respeto filial corriente en la época (por ejemplo, Cadalso, *Cartas marruecas,* XXVIII, pág. 82).

DON DIEGO

¿Qué haces aquí?

DON CARLOS

Mi desgracia me ha traído.

DON DIEGO

¡Siempre dándome que sentir, siempre! Pero... *(Acercándose a don Carlos.)* ¿Qué dices? ¿De veras ha ocurrido alguna desgracia? Vamos... ¿Qué te sucede?... ¿Por qué estás aquí?[87]

CALAMOCHA

Porque le tiene a usted ley y le quiere bien y...

DON DIEGO

A ti no te pregunto nada... ¿Por qué has venido de Zaragoza sin que yo lo sepa?... ¿Por qué te asusta el verme?... Algo has hecho. Sí, alguna locura has hecho que le habrá de costar la vida a tu pobre tío.

DON CARLOS

No, señor, que nunca olvidaré las máximas de honor y prudencia que usted me ha inspirado tantas veces.

DON DIEGO

Pues ¿a qué viniste? ¿Es desafío? ¿Son deudas? ¿Es algún disgusto con tus jefes?... Sácame de esta inquietud, Carlos... Hijo mío, sácame de este afán[88].

---

[87] El cambio de actitud de don Diego obedece a una sincera preocupación por su sobrino (al interpretar en otro sentido la *desgracia* que le ha traído).

[88] *afán*: 'gran pesadumbre'.

Si todo ello no es más que...

DON DIEGO

Ya he dicho que calles... Ven acá. *(Tomándole de la mano se aparta con él a un extremo del teatro y le habla en voz baja.)* Dime qué ha sido.

DON CARLOS

Una ligereza, una falta de sumisión a usted... Venir a Madrid sin pedirle licencia primero... Bien arrepentido estoy, considerando la pesadumbre que le he dado al verme.

DON DIEGO

¿Y qué otra cosa hay?

DON CARLOS

Nada más, señor.

DON DIEGO

¿Pues qué desgracia era aquella de que me hablaste?

DON CARLOS

Ninguna. La de hallarle a usted en este paraje... y haberle disgustado tanto, cuando yo esperaba sorprenderle en Madrid, estar en su compañía algunas semanas y volverme contento de haberle visto[89].

---

[89] Rápida rectificación de don Carlos de su espontánea respuesta.
sorprenderle: véase la nota 65 de la Introducción.

DON DIEGO

¿No hay más?

DON CARLOS

No, señor.

DON DIEGO

Míralo bien.

DON CARLOS

No, señor... A eso venía. No hay nada más.

DON DIEGO

Pero no me digas tú a mí... Si es imposible que estas escapadas se... No señor... ¿Ni quién ha de permitir que un oficial se vaya cuando se le antoje y abandone de ese modo sus banderas?... Pues si tales ejemplos se repitieran mucho, adiós disciplina militar... Vamos... Eso no puede ser.

DON CARLOS

Considere usted, tío, que estamos en tiempo de paz, que en Zaragoza no es necesario un servicio tan exacto como en otras plazas[90], en que no se permite descanso a la guarnición... Y, en fin, puede usted creer que este viaje supone la aprobación y la licencia de mis superiores, que yo también miro por mi estimación y que, cuando me he venido, estoy seguro de que no hago falta.

DON DIEGO

Un oficial siempre hace falta a sus soldados. El rey le tiene allí para que los instruya, los proteja y les dé ejemplo de subordinación, de valor, de virtud.

---

[90] *exacto:* 'escrupuloso'.

Bien está, pero ya he dicho los motivos...

Don Diego

Todos esos motivos no valen nada... ¡Porque le dio la gana de ver al tío!... Lo que quiere su tío de usted no es verle cada ocho días[91], sino saber que es hombre de juicio y que cumple con sus obligaciones. Eso es lo que quiere... Pero *(Alza la voz y se pasea con inquietud)* yo tomaré mis medidas para que estas locuras no se repitan otra vez... Lo que usted ha de hacer ahora es marcharse inmediatamente.

Don Carlos

Señor, si...

Don Diego

No hay remedio... Y ha de ser al instante. Usted no ha de dormir aquí.

Calamocha

Es que los caballos no están ahora para correr... ni pueden moverse.

Don Diego

Pues con ellos *(A Calamocha)* y con las maletas al mesón de afuera. Usted *(A don Carlos)* no ha de dormir aquí... Vamos *(A Calamocha)* tú, buena pieza, menéate. Abajo con todo. Pagar el gasto que se haya hecho, sacar los caballos y marchar... Ayúdale tú... *(A Simón)* ¿Qué dinero tienes ahí?

---

[91] El cambio en el tratamiento, del tú al usted, resalta —una vez disipada la preocupación por la mencionada *desgracia*— el restablecimiento de la jerarquía paterno-filial entre los dos personajes.

Tendré unas cuatro o seis onzas[92]. *(Saca de un bolsillo algunas monedas y se las da a don Diego.)*

DON DIEGO

Dámelas acá... Vamos, ¿qué haces? *(A Calamocha)* ¿No he dicho que ha de ser al instante?... Volando. Y tú *(A Simón)* ve con él, ayúdale, y no te me apartes de allí hasta que se hayan ido. *(Los dos criados entran en el cuarto de don Carlos.)*

ESCENA XII

DON DIEGO, DON CARLOS

DON DIEGO

Tome usted. *(Le da el dinero.)* Con eso hay bastante para el camino... Vamos, que cuando yo lo dispongo así bien sé lo que me hago... ¿No conoces que es todo por tu bien, y que ha sido un desatino lo que acabas de hacer?... Y no hay que afligirse por eso, ni creas que es falta de cariño... Ya sabes lo que te he querido siempre y, en obrando tú según corresponde, seré tu amigo como lo he sido hasta aquí.

DON CARLOS

Ya lo sé.

DON DIEGO

Pues bien, ahora obedece lo que te mando.

---

[92] La *onza* valía 320 reales; por tanto, entre 1.500 y 2.000 reales, una cantidad muy superior a los gastos que habría que pagar.

Don Carlos

Lo haré sin falta.

Don Diego

Al mesón de afuera. *(A los criados, que salen con los trastos del cuarto de don Carlos, y se van por la puerta del foro.)* Allí puedes dormir mientras los caballos comen y descansan... Y no me vuelvas aquí por ningún pretexto ni entres en la ciudad... ¡Cuidado! Y a eso de las tres o las cuatro marchar. Mira que he de saber a la hora que sales. ¿Lo entiendes?

Don Carlos

Sí, señor.

Don Diego

Mira que lo has de hacer.

Don Carlos

Sí, señor; haré lo que usted manda.

Don Diego

Muy bien... Adiós... Todo te lo perdono... Vete con Dios... Y yo sabré también cuándo llegas a Zaragoza; no te parezca que estoy ignorante de lo que hiciste la vez pasada.

Don Carlos

¿Pues qué hice yo?

Don Diego

Si te digo que lo sé y que te lo perdono, ¿qué más quieres? No es tiempo ahora de tratar de eso. Vete.

DON CARLOS

Quede usted con Dios. *(Hace que se va y vuelve.)*

DON DIEGO

¿Sin besar la mano a su tío, eh?

DON CARLOS

No me atreví. *(Besa la mano a don Diego y se abrazan.)*

DON DIEGO

Y dame un abrazo, por si no nos volvemos a ver.

DON CARLOS

¿Qué dice usted? ¡No lo permita Dios!

DON DIEGO

¡Quién sabe, hijo mío! ¿Tienes algunas deudas? ¿Te falta algo?

DON CARLOS

No señor, ahora no.

DON DIEGO

Mucho es[93], porque tú siempre tiras por largo...[94] Como cuentas con la bolsa del tío... Pues bien, yo escribiré al señor Aznar para que te dé cien doblones de orden mía[95]. Y mira cómo lo gastas... ¿Juegas?

---

[93] 'es extraño'.
[94] 'te excedes, te propasas'.
[95] Unos 6.000 reales.

No señor, en mi vida.

Don Diego

Cuidado con eso... Conque, buen viaje. Y no te acalores[96], jornadas regulares y nada más... ¿Vas contento?

Don Carlos

No, señor. Porque usted me quiere mucho, me llena de beneficios, y yo le pago mal.

Don Diego

No se hable ya de lo pasado... Adiós.

Don Carlos

¿Queda usted enojado conmigo?

Don Diego

No, no por cierto... Me disgusté bastante, pero ya se acabó... No me des que sentir. *(Poniéndole ambas manos sobre los hombros.)* Portarse como hombre de bien[97].

Don Carlos

No lo dude usted.

Don Diego

Como oficial de honor.

---

[96] 'no te excedas'.

[97] El *hombre de bien* es el modelo positivo para los ilustrados. Si anteriormente tenía el valor de 'hombre honrado, cabal', en el siglo XVIII adquirirá una nueva dimensión y una mayor trascendencia.

Así lo prometo.

DON DIEGO

Adiós, Carlos. *(Abrázanse.)*

DON CARLOS

(Aparte, al irse por la puerta del foro.) ¡Y la dejo!... ¡Y la pierdo para siempre!

ESCENA XIII

DON DIEGO

Demasiado bien se ha compuesto...[98] Luego lo sabrá enhorabuena... Pero no es lo mismo escribírselo que... Después de hecho, no importa nada...[99] ¡Pero siempre aquel respeto al tío!... Como una malva es. *(Se enjuga las lágrimas, toma una luz y se va a su cuarto. Queda oscura la escena por un breve espacio.)*

---

[98] *compuesto:* 'concertado, puesto de acuerdo'. Es una corrección de París, 1825, de «dispuesto», que dejaba a don Carlos en una actitud más claramente sumisa.

[99] Se trasluce el miedo —no declarado— a su sobrino como posible rival —a partir del equívoco de Simón (I, 1)—, que no es incompatible con su afecto hacia él (del cual serán prueba las lágrimas derramadas).

ESCENA XIV

Doña Francisca, Rita

(Salen del cuarto de doña Irene. Rita sacará una luz y la pone sobre la mesa.)

RITA

Mucho silencio hay por aquí.

DOÑA FRANCISCA

Se habrán recogido ya... Estarán rendidos.

RITA

Precisamente.

DOÑA FRANCISCA

¡Un camino tan largo!

RITA

¡A lo que obliga el amor, señorita!

DOÑA FRANCISCA

Sí, bien puedes decirlo: amor... Y yo ¿qué no hiciera por él?

RITA

Y deje usted, que no ha de ser éste el último milagro. Cuando lleguemos a Madrid, entonces será ella... El pobre don Diego ¡qué chasco se va a llevar! Y, por otra parte, vea usted qué señor tan bueno, que cierto da lástima...

Doña Francisca

Pues en eso consiste todo. Si él fuese un hombre despreciable, ni mi madre hubiera admitido su pretensión ni yo tendría que disimular mi repugnancia...[100] Pero ya es otro tiempo, Rita. Don Félix ha venido, y ya no temo a nadie. Estando mi fortuna en su mano, me considero la más dichosa de las mujeres.

Rita

¡Ay! Ahora que me acuerdo... Pues poquito me lo encargó... Ya se ve, si con estos amores tengo yo también la cabeza... Voy por él. *(Encaminándose al cuarto de doña Irene.)*

Doña Francisca

¿A qué vas?

Rita

El tordo, que ya se me olvidaba sacarle de allí.

Doña Francisca

Sí, tráele, no empiece a rezar como anoche... Allí quedó junto a la ventana... Y ve con cuidado, no despierte mamá.

Rita

Sí, mire usted el estrépito de caballerías que anda por allá abajo... Hasta que lleguemos a nuestra calle del Lobo, número siete, cuarto segundo[101], no hay que pensar en dormir... Y ese maldito portón, que rechina que...

---

[100] *repugnancia:* 'oposición'.
[101] La *calle del Lobo* es la actual Echegaray; *cuarto:* entiéndase cuarto piso. La mención de estos detalles evidencia el particular realismo de Moratín.

Doña Francisca

Te puedes llevar la luz.

Rita

No es menester, que ya sé dónde está. *(Vase al cuarto de doña Irene.)*

ESCENA XV

Simón, Doña Francisca

(Sale por la puerta del foro Simón.)

Doña Francisca

Yo pensé que estaban ustedes acostados.

Simón

El amo ya habrá hecho esa diligencia, pero yo todavía no sé en dónde he de tender el rancho...[102] Y buen sueño que tengo.

Doña Francisca

¿Qué gente nueva ha llegado ahora?

Simón

Nadie. Son unos que estaban ahí y se han ido.

---

[102] *rancho:* 'petate, colchoneta', era voz propia de la milicia.

¿Los arrieros?[103]

Simón

No, señora. Un oficial y un criado suyo, que parece que se van a Zaragoza.

Doña Francisca

¿Quiénes dice usted que son?

Simón

Un teniente coronel y su asistente.

Doña Francisca

¿Y estaban aquí?

Simón

Sí, señora; ahí en ese cuarto.

Doña Francisca

No los he visto.

Simón

Parece que llegaron esta tarde y... A la cuenta habrán despachado ya la comisión que traían...[104] Conque se han ido... Buenas noches, señorita. *(Vase al cuarto de don Diego.)*

---

[103] *arrieros:* 'los que se encargan de las caballerías'.
[104] *A la cuenta:* 'según parece'.

ESCENA XVI

RITA, DOÑA FRANCISCA

DOÑA FRANCISCA

¡Dios mío de mi alma! ¿Qué es esto?... No puedo sostenerme... ¡Desdichada! *(Siéntase en una silla junto a la mesa.)*

RITA

Señorita, yo vengo muerta. *(Saca la jaula del tordo y la deja encima de la mesa; abre la puerta del cuarto de don Carlos y vuelve.)*

DOÑA FRANCISCA

¡Ay, que es cierto!... ¿Tú lo sabes también?

RITA

Deje usted, que todavía no creo lo que he visto... Aquí no hay nadie... ni maletas, ni ropa, ni... Pero ¿cómo podía engañarme? Si yo misma los he visto salir.

DOÑA FRANCISCA

¿Y eran ellos?

RITA

Sí, señora. Los dos.

DOÑA FRANCISCA

¿Pero se han ido fuera de la ciudad?

Si no los he perdido de vista hasta que salieron por Puerta de Mártires...[105] Como está un paso de aquí.

DOÑA FRANCISCA

¿Y es ése el camino de Aragón?

RITA

Ese es.

DOÑA FRANCISCA

¡Indigno!... ¡Hombre indigno!

RITA

Señorita...

DOÑA FRANCISCA

¿En qué te ha ofendido esta infeliz?

RITA

Yo estoy temblando toda... Pero... Si es incomprensible... Si no alcanzo a discurrir qué motivos ha podido haber para esta novedad.

DOÑA FRANCISCA

¿Pues no le quise más que a mi vida?... ¿No me ha visto loca de amor?

---

[105] Situada al final de la calle Libreros, era el inicio del camino hacia Guadalajara y Aragón.

No sé qué decir al considerar una acción tan infame.

DOÑA FRANCISCA

¿Qué has de decir? Que no me ha querido nunca, ni es hombre de bien... ¿Y vino para esto? ¡Para engañarme, para abandonarme así! *(Levántase y Rita la sostiene.)*

RITA

Pensar que su venida fue con otro designio no me parece natural... Celos... ¿Por qué ha de tener celos?... Y aun eso mismo debiera enamorarle más... Él no es cobarde, y no hay que decir que habrá tenido miedo de su competidor.

DOÑA FRANCISCA

Te cansas en vano... Di que es un pérfido, di que es un monstruo de crueldad, y todo lo has dicho.

RITA

Vamos de aquí, que puede venir alguien y...

DOÑA FRANCISCA

Sí, vámonos... Vamos a llorar... ¡Y en qué situación me deja!... Pero ¿ves qué malvado?

RITA

Sí señora, ya lo conozco

¡Qué bien supo fingir!... ¿Y con quién? Conmigo... ¿Pues yo merecí ser engañada tan alevosamente?...[106] ¿Mereció mi cariño este galardón?...[107]. ¡Dios de mi vida! ¿Cuál es mi delito, cuál es? *(Rita coge la luz y se van entrambas al cuarto de doña Francisca.)*

---

[106] Los términos con los que Paquita y Rita califican la actuación de don Carlos *(indigno, pérfido, monstruo de crueldad, malvado, acción tan infame, engañada tan alevosamente)* son frecuentes en el teatro del Siglo de Oro. Moratín había censurado en la «Lección poética» su uso injustificado, pero no es un motivo frívolo lo que mueve a Paquita: todas sus ilusiones han sido derruidas de golpe.

[107] Vocablo habitual de la lírica amorosa.

Acto III

ESCENA PRIMERA

DON DIEGO, SIMÓN

(Teatro oscuro. Sobre la mesa habrá un candelero con vela apagada y la jaula del tordo. Simón duerme tendido en el banco.)

DON DIEGO

(Sale de su cuarto poniéndose la bata.) Aquí, a lo menos, ya que no duerma no me derretiré...[1] Vaya, si alcoba como ella no se... ¡Cómo ronca éste!... Guardémosle el sueño hasta que venga el día, que ya poco puede tardar... *(Simón despierta y se levanta.)* ¿Qué es eso? Mira no te caigas, hombre.

SIMÓN

¿Que estaba usted ahí, señor?

---

[1] *ya que* tiene un valor concesivo ('aunque'), frecuente en el español clásico. A pesar de que le echa la culpa al calor, la imposibilidad de conciliar el sueño revela el desasosiego del personaje.

Don Diego

Sí, aquí me he salido, porque allí no se puede parar.

Simón

Pues yo, a Dios gracias, aunque la cama es algo dura, he dormido como un emperador.

Don Diego

¡Mala comparación!... Di que has dormido como un pobre hombre, que no tiene ni dinero, ni ambición, ni pesadumbres, ni remordimientos[2].

Simón

En efecto, dice usted bien... ¿Y qué hora será ya?

Don Diego

Poco ha que sonó el reloj de San Justo y, si no conté mal, dio las tres[3].

Simón

¡Oh! Pues ya nuestros caballeros irán por ese camino adelante echando chispas[4].

Don Diego

Sí, ya es regular que hayan salido...[5] Me lo prometió, y espero que lo hará.

---

[2] En alusión al tópico horaciano del *beatus ille* que resalta, por contraste, la intranquilidad de don Diego (¿sus *remordimientos?*).

[3] La iglesia de *San Justo* era la catedralicia de Alcalá.

[4] 'a galope tendido'.

[5] *regular:* 'conforme con lo convenido'.

168

SIMÓN

¡Pero si usted viera qué apesadumbrado le dejé! ¡Qué triste!

DON DIEGO

Ha sido preciso.

SIMÓN

Ya lo conozco[6].

DON DIEGO

¿No ves qué venida tan intempestiva?

SIMÓN

Es verdad. Sin permiso de usted, sin avisarle, sin haber un motivo urgente... Vamos, hizo muy mal... Bien que, por otra parte, él tiene prendas suficientes para que se le perdone esta ligereza... Digo... Me parece que el castigo no pasará adelante, ¿eh?

DON DIEGO

¡No, qué!... No señor. Una cosa es que le haya hecho volver. Ya ves en qué circunstancia nos cogía... Te aseguro que cuando se fue me quedó un ansia en el corazón... *(Suenan a lo lejos tres palmadas, y poco después se oye que puntean un instrumento)*[7] ¿Qué ha sonado?

SIMÓN

No sé... Gente que pasa por la calle. Serán labradores.

---

[6] *lo conozco:* 'lo entiendo'.
[7] *puntean:* 'tocan un instrumento de cuerda'.

Calla.

Vaya, música tenemos, según parece.

Sí, como lo hagan bien[8].

¿Y quién será el amante infeliz que se viene a puntear a estas horas en ese callejón tan puerco?...[9] Apostaré que son amores con la moza de la posada, que parece un mico[10].

Puede ser.

Ya empiezan. Oigamos...[11] *(Tocan una sonata desde adentro)*[12] Pues dígole a usted que toca muy lindamente el pícaro del barberillo[13].

---

[8] *como* tiene aquí valor condicional.

[9] Era común entre los visitantes extranjeros referirse a la suciedad de ciudades y pueblos españoles.

[10] Hay bastantes antecedentes literarios de la fealdad de la posadera. El que seguramente recordaría Moratín era el de Maritornes del *Quijote* (I, 16).

[11] Ya la edición de 1806 suprime el texto de la canción de don Carlos, que figuraba en la de 1805 («Si duerme y reposa / la bella que adoro, / su paz deliciosa / no turbe mi lloro / y en sueños corónela / de dichas Amor. / Pero si su mente / vagando delira, / si me llama ausente, / si celosa expira, / diréla mi bárbaro, / mi fiero dolor»). Dowling [1980: 111-112] interpretaba que la supresión se debía a lo poco verosímil que resultaba el que don Diego no reconociera la voz de su sobrino (a pesar de que cantaba «demasiado quedo» para aquel).

[12] *sonata:* 'composición musical para uno, dos o tres instrumentos'.

[13] En las barberías se tocaban instrumentos musicales en los ratos de ocio (al menos desde comienzos del siglo XVII, como deja constancia Torres Villarroel, *Visiones,* págs. 26-27).

DON DIEGO

No, no hay barbero que sepa hacer eso, por muy bien que afeite.

SIMÓN

¿Quiere usted que nos asomemos un poco, a ver?...

DON DIEGO

No, dejarlos... ¡Pobre gente! ¡Quién sabe la importancia que darán ellos a la tal música!... No gusto yo de incomodar a nadie. *(Salen de su cuarto doña Francisca y Rita, encaminándose a la ventana. Don Diego y Simón se retiran a un lado y observan.)*

SIMÓN

¡Señor!... ¡Eh!... Presto, aquí, a un ladito.

DON DIEGO

¿Qué quieres?

SIMÓN

Que han abierto la puerta de esa alcoba, y huele a faldas que trasciende.

DON DIEGO

¿Sí?... Retirémonos[14].

---

[14] También en Marivaux, *L'école des mères,* 16, la oscuridad facilita que M. Damis se entere de que su rival es su propio hijo.

ESCENA II

Doña Francisca, Rita, Don Diego, Simón

Rita

Con tiento, señorita.

Doña Francisca

Siguiendo la pared, ¿no voy bien?
(Vuelven a puntear el instrumento.)

Rita

Sí, señora... Pero vuelven a tocar... Silencio...

Doña Francisca

No te muevas... Deja... Sepamos primero si es él.

Rita

¿Pues no ha de ser?... La seña no puede mentir.

Doña Francisca

Calla...[15] Sí, él es... ¡Dios mío! *(Acércase Rita a la ventana, abre la vidriera y da tres palmadas. Cesa la música.)* Ve, responde... Albricias[16], corazón. Él es.

Simón

¿Ha oído usted?

---

[15] En la versión de 1805 se repetía la canción de don Carlos.
[16] *albricias:* expresión de alegría o felicidad.

172

Sí.

¿Qué querrá decir esto?

Calla.

(Se asoma a la ventana. Rita se queda detrás de ella. Los puntos suspensivos indican las interrupciones más o menos largas)[17] Yo soy... Y ¿qué había de pensar viendo lo que usted acaba de hacer?...*[18]* ¿Qué fuga es ésta?... Rita *(Apartándose de la ventana, y vuelve después a asomarse)* amiga, por Dios, ten cuidado, y si oyeres algún rumor, al instante avísame... ¿Para siempre? ¡Triste de mí!... Bien está, tírela usted...*[19]* Pero yo no acabo de en-

---

[17] Las interrupciones se corresponden con las intervenciones de don Carlos, que el espectador o lector ha de suponer a partir de las palabras de Paquita. En la edición de 1825 Moratín regularizó el número de los puntos suspensivos, cuya variabilidad en las de 1805 y 1806 indicaba la mayor o menor extensión de las interrupciones, como una acotación más.

[18] En la edición de 1805 se añadía: «Pero salgamos de dudas...» A partir de la edición de 1806, Moratín suprimió a lo largo de este diálogo sincopado varias frases de Paquita, quizá no por «las circunstancias que se suponen de agitación y apresuramiento» (Pérez Magallón, 1994: 227 n. y 262), sino para reducirlo a lo esencial. El resto de las frases suprimidas es el siguiente: «¿Qué fuga es esta? Desengáñese usted, y sepa yo lo que debo esperar...»; «¿Qué habla usted de obligación? ¿Tiene usted otra que la de consolar a esta desdichada?...»; «No, yo quiero absolutamente que usted me diga por qué se va, qué inquietud es esa, qué lenguaje misterioso, oscuro, desconocido para mí...»

[19] El recurso de la carta *(tírela usted)*, del que Moratín se había servido en todas sus comedias excepto en *La comedia nueva*, había sido censurado por Luzán (en la Dedicatoria de su traducción de *La razón contra la moda* de Nivelle de La Chausée), en cuanto que se utilizaba para facilitar el desenlace de la obra. Pero Moratín lo emplea como un elemento funcional de una parte de la acción, que facilita además la unidad de lugar.

tender... ¡Ay, don Félix! Nunca le he visto a usted tan tímido... *(Tiran desde adentro una carta que cae por la ventana del teatro. Doña Francisca la busca y, no hallándola, vuelve a asomarse.)* No, no la he cogido, pero aquí está sin duda... ¿Y no he de saber yo hasta que llegue el día los motivos que tiene usted para dejarme muriendo?... Sí, yo quiero saberlo de su boca de usted. Su Paquita de usted se lo manda... ¿Y cómo le parece a usted que estará el mío?... No me cabe en el pecho... Diga usted. *(Simón se adelanta un poco, tropieza con la jaula y la deja caer.)*

RITA

Señorita, vamos de aquí... Presto[20], que hay gente.

DOÑA FRANCISCA

¡Infeliz de mí!... Guíame.

RITA

Vamos. *(Al retirarse tropieza con* SIMÓN. *Las dos se van al cuarto de doña Francisca.)* ¡Ay!

DOÑA FRANCISCA

¡Muerta voy!

ESCENA III

DON DIEGO, SIMÓN

DON DIEGO

¿Qué grito fue ése?

---

[20] *presto:* 'al instante, con prontitud'.

SIMÓN

Una de las fantasmas[21], que al retirarse tropezó conmigo.

DON DIEGO

Acércate a esa ventana y mira si hallas en el suelo un papel... ¡Buenos estamos!

SIMÓN

(Tentando por el suelo, cerca de la ventana.) No encuentro nada, señor.

DON DIEGO

Búscale bien, que por ahí ha de estar.

SIMÓN

¿Le tiraron desde la calle?[22]

DON DIEGO

Sí... ¿Qué amante es éste?.. ¡Y dieciséis años y criada en un convento! Acabó ya toda mi ilusión.

SIMÓN

Aquí está. *(Halla la carta y se la da a don Diego.)*

DON DIEGO

Vete abajo y enciende una luz... En la caballeriza o en la cocina.. Por ahí habrá algún farol... Y vuelve con ella al instante. *(Vase Simón por la puerta del foro.)*

---

[21] *fantasma* era femenino en el español clásico.
[22] Recuérdese que el leísmo, incluso el no personal (*Búscale, le tiraron*) era la norma culta en el español del siglo XVIII.

ESCENA IV

Don Diego

Don Diego

¿Y a quién debo culpar? *(Apoyándose en el respaldo de una silla.)* ¿Es ella la delincuente[23], o su madre, o sus tías, o yo?... ¿Sobre quién..., sobre quién ha de caer esta cólera, que por más que lo procuro no la sé reprimir?... ¡La naturaleza la hizo tan amable a mis ojos!...[24] ¡Qué esperanzas tan halagüeñas concebí! ¡Qué felicidades me prometía!... ¡Celos!... ¿Yo?... ¡En qué edad tengo celos!...[25] Vergüenza es... Pero esta inquietud que yo siento, esta indignación, estos deseos de venganza, ¿de qué provienen? ¿Cómo he de llamarlos? Otra vez parece que... *(Advirtiendo que suena el ruido en la puerta del cuarto de doña Francisca, se retira a un extremo del teatro.)* Sí.

ESCENA V

Rita, Don Diego, Simón

Rita

Ya se han ido... *(Observa, escucha, asómase después a la ventana y busca la carta por el suelo.)* ¡Válgame Dios!... El papel estará muy bien escrito, pero el señor don Félix es un grandísimo

---

[23] *delincuente:* 'culpable', sin el sentido jurídico de hoy en día.

[24] *amable:* 'digna de ser amada'.

[25] Se consideraba socialmente que la de don Diego era una edad impropia de sentimientos amorosos.

picarón... ¡Pobrecita de mi alma!... Se muere sin remedio...
Nada, ni perros parecen por la calle...[26] ¡Ojalá no los hubiéramos conocido! ¿Y este maldito papel?... Pues buena la hiciéramos si no pareciese... ¿Qué dirá?... Mentiras, mentiras y todo mentira[27].

SIMÓN

Ya tenemos luz. *(Sale con luz. Rita se sorprende.)*

RITA

¡Perdida soy!

DON DIEGO

(Acercándose.) ¡Rita! ¿Pues tú aquí?

RITA

Sí, señor, porque...

DON DIEGO

¿Qué buscas a estas horas?

RITA

Buscaba... Yo le diré a usted... Porque oímos un ruido tan grande...

SIMÓN

¿Sí, eh?

---

[26] *parecen:* 'aparecen'.
[27] Reflejo del «Words, words, words» de Hamlet, que Moratín había traducido como «Palabras, palabras, todo palabras».

RITA

Cierto... Un ruido y... y mire usted *(Alza la jaula que está en el suelo)* era la jaula del tordo... Pues la jaula era, no tiene duda... ¡Válgate Dios! ¿Si se habrá muerto?... No, vivo está, vaya... Algún gato habrá sido. Preciso.

SIMÓN

Sí, algún gato.

RITA

¡Pobre animal! ¡Y que asustadillo se conoce que está todavía!

SIMÓN

Y con mucha razón... ¿No te parece? Si le hubiera pillado el gato...

RITA

Se le hubiera comido. *(Cuelga la jaula de un clavo que habrá en la pared.)*

SIMÓN

Y sin pebre...[28] Ni plumas hubiera dejado.

DON DIEGO

Tráeme esa luz.

---

[28] *pebre:* 'salsa compuesta de pimienta, sal, azafrán, clavo, etc.'. La intervención de los criados relaja la tensión dramática.

RITA

¡Ah! Deje usted, encenderemos ésta *(Enciende la vela que está sobre la mesa),* que ya lo que no se ha dormido...

DON DIEGO

Y doña Paquita, ¿duerme?

RITA

Sí, señor.

SIMÓN

Pues mucho es que con el ruido del tordo...

DON DIEGO

Vamos. *(Se entra en su cuarto. Simón va con él, llevándose una de las luces.)*

ESCENA VI

DOÑA FRANCISCA, RITA

DOÑA FRANCISCA

¿Ha parecido el papel?

RITA

No, señora.

DOÑA FRANCISCA

¿Y estaban aquí los dos cuando tú saliste?

Yo no lo sé. Lo cierto es que el criado sacó una luz, y me hallé de repente, como por máquina[29], entre él y su amo, sin poder escapar ni saber qué disculpa darles. *(Coge la luz y vuelve a buscar la carta cerca de la ventana.)*

DOÑA FRANCISCA

Ellos eran, sin duda... Aquí estarían cuando yo hablé desde la ventana... ¿Y ese papel?

RITA

Yo no lo encuentro, señorita.

DOÑA FRANCISCA

Le tendrán ellos, no te canses... Si es lo único que faltaba a mi desdicha... No le busques. Ellos le tienen.

RITA

A lo menos por aquí...

DOÑA FRANCISCA

¡Yo estoy loca! *(Siéntase.)*

RITA

Sin haberse explicado este hombre, ni decir siquiera...

DOÑA FRANCISCA

Cuando iba a hacerlo, me avisaste, y fue preciso retirarnos... Pero ¿sabes tú con qué temor me habló, qué agitación

---

[29] *máquina:* 'artificio', 'mecanismo de tramoya'.

mostraba? Me dijo que en aquella carta vería yo los motivos justos que le precisaban a volverse[30], que la había escrito para dejársela a persona fiel que la pusiera en mis manos, suponiendo que el verme sería imposible. Todo engaños, Rita, de un hombre aleve[31] que prometió lo que no pensaba cumplir... Vino, halló un competidor, y diría: «Pues yo ¿para qué he de molestar a nadie ni hacerme ahora defensor de una mujer?... ¡Hay tantas mujeres!... Cásenla... Yo nada pierdo... Primero es mi tranquilidad que la vida de esa infeliz...» ¡Dios mío, perdón!... ¡Perdón de haberle querido tanto!

RITA

¡Ay, señorita! *(Mirando hacia el cuarto de don Diego.)* Que parece que salen ya.

DOÑA FRANCISCA

No importa, déjame.

RITA

Pero si don Diego la ve a usted de esa manera...

DOÑA FRANCISCA

Si todo se ha perdido ya, ¿qué puedo temer?... ¿Y piensas tú que tengo alientos para levantarme?... Que vengan, nada importa.

---

[30] *precisaban:* 'obligaban'.
[31] *aleve:* 'traidor, pérfido'.

ESCENA VII

DON DIEGO, SIMÓN, DOÑA FRANCISCA, RITA

SIMÓN

Voy enterado, no es menester más.

DON DIEGO

Mira y haz que ensillen inmediatamente al Moro[32], mientras tú vas allá. Si han salido, vuelves, montas a caballo y en una buena carrera que des los alcanzas... ¿Las dos aquí, eh?...[33] Conque, vete, no se pierda tiempo. *(Después de hablar los dos junto al cuarto de don Diego, se va Simón por la puerta del foro.)*

SIMÓN

Voy allá.

DON DIEGO

Mucho se madruga, doña Paquita.

DOÑA FRANCISCA

Sí, señor.

---

[32] El realismo detallado de Moratín le lleva a que el caballo tenga un nombre concreto.

[33] La pregunta de don Diego sirve para marcar el momento en el que advierte la presencia en la sala de Rita y doña Paquita. Algunos editores modernos han enmendado «los dos» (en lugar de *las dos),* suponiendo una orden de don Diego para don Carlos y Calamocha (frente a la lección de las ediciones supervisadas por Moratín).

¿Ha llamado ya doña Irene?

DOÑA FRANCISCA

No, señor... Mejor es que vayas allá por si ha despertado y se quiere vestir. *(Rita se va al cuarto de doña Irene.)*

ESCENA VIII

DON DIEGO, DOÑA FRANCISCA

DON DIEGO

¿Usted no habrá dormido bien esta noche?

DOÑA FRANCISCA

No, señor. ¿Y usted?

DON DIEGO

Tampoco.

DOÑA FRANCISCA

Ha hecho demasiado calor.

DON DIEGO

¿Está usted desazonada?

DOÑA FRANCISCA

Alguna cosa[34].

---

[34] *Alguna cosa:* 'algo, un poco' (sin el valor concreto de *cosa*).

DON DIEGO

¿Qué siente usted? *(Siéntase junto a doña Francisca.)*

DOÑA FRANCISCA

No es nada... Así, un poco de... Nada... no tengo nada.

DON DIEGO

Algo será, porque la veo a usted muy abatida, llorosa, inquieta... ¿Qué tiene usted, Paquita? ¿No sabe usted que la quiero tanto?

DOÑA FRANCISCA

Sí, señor.

DON DIEGO

Pues ¿por qué no hace usted más confianza de mí? ¿Piensa usted que no tendré yo mucho gusto en hallar ocasiones de complacerla?

DOÑA FRANCISCA

Ya lo sé.

DON DIEGO

¿Pues cómo, sabiendo que tiene usted un amigo, no desahoga con él su corazón?

DOÑA FRANCISCA

Porque eso mismo me obliga a callar.

DON DIEGO

Eso quiere decir que tal vez soy yo la causa de su pesadumbre de usted.

184

DOÑA FRANCISCA

No, señor, usted en nada me ha ofendido... No es de usted de quien yo me debo quejar.

DON DIEGO

¿Pues de quién, hija mía?... Venga usted acá... *(Acércase más)* [35] Hablemos siquiera una vez sin rodeos ni disimulación... Dígame usted, ¿no es cierto que usted mira con algo de repugnancia este casamiento que se la propone? ¿Cuánto va que si la dejasen a usted entera libertad para la elección no se casaría conmigo?

DOÑA FRANCISCA

Ni con otro.

DON DIEGO

¿Será posible que usted no conozca otro más amable que yo, que le quiera bien[36] y que la corresponda como usted merece?

DOÑA FRANCISCA

No señor, no señor.

---

[35] Esa cercanía es más propia de quien actúa como padre *(hija mía* —aunque sea expresión común utilizada para dirigirse a personas sin relación filial—) que como pretendiente. En esta única entrevista a solas, don Diego trata de obtener la confesión sincera de Paquita en lo que son ya los primeros pasos para establecer la racionalidad en la situación: está enterado de todo al leer la carta de don Carlos y ha ordenado su regreso.

[36] No hay error en *le quiera,* como han supuesto la mayoría de los editores modernos (que enmiendan en «la quiera»): don Diego le plantea si ella quiere a *otro* y si éste *la* corresponde (teniendo en cuenta el leísmo y laísmo de Moratín).

DON DIEGO

Mírelo usted bien.

DOÑA FRANCISCA

¿No le digo a usted que no?

DON DIEGO

¿Y he de creer, por dicha[37], que conserve usted tal inclinación al retiro en que se ha criado que prefiera la austeridad del convento a una vida más...?

DOÑA FRANCISCA

Tampoco, no señor... Nunca he pensado así.

DON DIEGO

No tengo empeño de saber más... Pero de todo lo que acabo de oír resulta una gravísima contradicción. Usted no se halla inclinada al estado religioso, según parece. Usted me asegura que no tiene queja ninguna de mí, que está persuadida de lo mucho que la estimo, que no piensa casarse con otro ni debo recelar que nadie dispute su mano... ¿Pues qué llanto es ése? ¿De dónde nace esa tristeza profunda que en tan poco tiempo ha alterado su semblante de usted en términos que apenas le reconozco? ¿Son éstas las señales de quererme exclusivamente a mí, de casarse gustosa conmigo dentro de pocos días? ¿Se anuncian así la alegría y el amor? *(Vase iluminando lentamente la escena, suponiendo que viene la luz del día)*[38]

---

[37] *por dicha*: 'acaso'.

[38] En contraste con la alusión al *llanto* y a la *tristeza profunda*, la escena empieza a iluminarse de modo simbólico: don Diego está dando los primeros pasos para establecer la racionalidad (ha ordenado el regreso de su sobrino y trata de esclarecer la situación).

186

Doña Francisca

¿Y qué motivos le he dado a usted para tales desconfianzas?

Don Diego

¿Pues qué? Si yo prescindo de estas consideraciones, si apresuro las diligencias de nuestra unión, si su madre de usted sigue aprobándola y llega el caso de...

Doña Francisca

Haré lo que mi madre me manda y me casaré con usted.

Don Diego

¿Y después, Paquita?

Doña Francisca

Después... y mientras me dure la vida, seré mujer de bien[39].

Don Diego

Eso no lo puedo yo dudar... Pero si usted me considera como el que ha de ser hasta la muerte su compañero y su amigo, dígame usted, estos títulos ¿no me dan algún derecho para merecer de usted mayor confianza? ¿No he de lograr que usted me diga la causa de su dolor? Y no para satisfacer una impertinente curiosidad, sino para emplearme todo en su consuelo, en mejorar su suerte, en hacerla dichosa, si mi conato y mis diligencias pudiesen tanto[40].

---

[39] *mujer de bien:* 'mujer honrada, honesta', sin que se corresponda con los valores que había adquirido el concepto «hombre de bien» (véase la nota 97 del acto II).

[40] *conato:* 'esfuerzo, empeño'.

DOÑA FRANCISCA

¡Dichas para mí!... Ya se acabaron.

DON DIEGO

¿Por qué?

DOÑA FRANCISCA

Nunca diré por qué.

DON DIEGO

Pero ¡qué obstinado, qué imprudente silencio!... Cuando usted misma debe presumir que no estoy ignorante de lo que hay.

DOÑA FRANCISCA

Si usted lo ignora, señor don Diego, por Dios no finja que lo sabe, y si en efecto lo sabe usted, no me lo pregunte.

DON DIEGO

Bien está. Una vez que no hay nada que decir, que esa aflicción y esas lágrimas son voluntarias, hoy llegaremos a Madrid, y dentro de ocho días será usted mi mujer.

DOÑA FRANCISCA

Y daré gusto a mi madre.

DON DIEGO

Y vivirá usted infeliz[41].

---

[41] Esta situación es la que se produce en *El viejo y la niña*. Desde el momento en que lee la carta de su sobrino, don Diego es consciente de la imposibilidad de su proyecto matrimonial porque éste sería el resultado.

Doña Francisca

Ya lo sé.

Don Diego

Ve aquí los frutos de la educación. Esto es lo que se llama criar bien a una niña: enseñarla a que desmienta y oculte las pasiones más inocentes con una pérfida disimulación. Las juzgan honestas luego que las ven instruidas en el arte de callar y mentir. Se obstinan en que el temperamento, la edad ni el genio[42] no han de tener influencia alguna en sus inclinaciones, o en que su voluntad ha de torcerse al capricho de quien las gobierna. Todo se las permite, menos la sinceridad. Con tal que no digan lo que sienten, con tal que finjan aborrecer lo que más desean, con tal que se presten a pronunciar cuando se lo mandan un sí perjuro, sacrílego, origen de tantos escándalos[43], ya están bien criadas, y se llama excelente educación la que inspira en ellas el temor, la astucia y el silencio de un esclavo[44].

Doña Francisca

Es verdad... Todo eso es cierto... Eso exigen de nosotras, eso aprendemos en la escuela que se nos da... Pero el motivo de mi aflicción es mucho más grande.

---

[42] *genio*: 'carácter'; «El carácter es propiamente lo que llamamos genio», Vicente de los Ríos, *Análisis del «Quijote»* (1780), § 50.

[43] La consecuencia de que las jóvenes, inducidas por la educación recibida, contraigan matrimonio contra su voluntad (se presten *a pronunciar cuando se lo manden un sí perjuro*) no es sólo la infelicidad sino el riesgo del adulterio, condenado por Moratín desde criterios morales y sociales.

[44] Este vehemente alegato de don Diego contra la educación recibida por las mujeres no pasó desapercibido, ni mucho menos, a los censores inquisitoriales, hasta el punto de que fue una de las razones de su prohibición en 1819 (en Fernández Nieto, 1970: 54). Repárese en la ausencia de interrupciones, en su construcción trimembre *(con tal que..., con tal que..., con tal que...; un sí perjuro, sacrílego, origen...; el temor, la astucia y el silencio)*, que refuerza su valor argumentativo, y en el concluyente término con que lo finaliza.

DON DIEGO

Sea cual fuere, hija mía, es menester que usted se anime... Si la ve a usted su madre de esa manera, ¿qué ha de decir?... Mire usted que ya parece que se ha levantado.

DOÑA FRANCISCA

¡Dios mío!

DON DIEGO

Sí, Paquita, conviene mucho que usted vuelva un poco sobre sí... No abandonarse tanto... Confianza en Dios... Vamos, que no siempre nuestras desgracias son tan grandes como la imaginación las pinta... ¡Mire usted qué desorden éste! ¡Qué agitación! ¡Qué lágrimas! Vaya, ¿me da usted palabra de presentarse así..., con cierta serenidad y...? ¿Eh?

DOÑA FRANCISCA

Y usted, señor... Bien sabe usted el genio de mi madre. Si usted no me defiende, ¿a quién he de volver los ojos? ¿Quién tendrá compasión de esta desdichada?

DON DIEGO

Su buen amigo de usted... Yo... ¿Cómo es posible que yo la abandonase... ¡criatura!... en la situación dolorosa en que la veo? *(Asiéndola de las manos.)*

DOÑA FRANCISCA

¿De veras?

DON DIEGO

Mal conoce usted mi corazón.

DOÑA FRANCISCA

Bien le conozco. *(Quiere arrodillarse; don Diego se lo estorba, y ambos se levantan.)*

DON DIEGO

¿Qué hace usted, niña?

DOÑA FRANCISCA

Yo no sé... ¡Qué poco merece toda esa bondad una mujer tan ingrata para con usted!... No, ingrata no, infeliz... ¡Ay, qué infeliz soy, señor don Diego!

DON DIEGO

Yo bien sé que usted agradece como puede el amor que la tengo... Lo demás todo ha sido... ¿qué sé yo?... una equivocación mía y no otra cosa... Pero usted, ¡inocente!, usted no ha tenido la culpa.

DOÑA FRANCISCA

Vamos... ¿No viene usted?

DON DIEGO

Ahora no, Paquita. Dentro de un rato iré por allá.

DOÑA FRANCISCA

Vaya usted presto. *(Encaminándose al cuarto de doña Irene, vuelve y se despide de don Diego besándole las manos.)*

DON DIEGO

Sí, presto iré.

191

ESCENA IX

SIMÓN, DON DIEGO

SIMÓN

Ahí están, señor.

DON DIEGO

¿Qué dices?

SIMÓN

Cuando yo salía de la puerta, los vi a lo lejos, que iban ya de camino. Empecé a dar voces y hacer señas con el pañuelo; se detuvieron, y apenas llegué y le dije al señorito lo que usted mandaba, volvió las riendas y está abajo. Le encargué que no subiera hasta que le avisara yo, por si acaso había gente aquí, y usted no quería que le viesen.

DON DIEGO

¿Y qué dijo cuando le diste el recado?

SIMÓN

Ni una sola palabra... Muerto viene... Ya digo, ni una sola palabra... A mí me ha dado compasión el verle así tan...

DON DIEGO

No me empieces ya a interceder por él.

SIMÓN

¿Yo, señor?

Don Diego

Sí, que no te entiendo yo... ¡Compasión!... Es un pícaro.

Simón

Como yo no sé lo que ha hecho.

Don Diego

Es un bribón que me ha de quitar la vida... Ya te he dicho que no quiero intercesores.

Simón

Bien está, señor. *(Vase por la puerta del foro. Don Diego se sienta, manifestando inquietud y enojo.)*

Don Diego

Dile que suba.

ESCENA X

Don Carlos, don Diego

Don Diego

Venga usted acá, señorito, venga usted... ¿En dónde has estado desde que no nos vemos?[45]

---

[45] Don Diego alterna el uso de *usted* y *tú* al dirigirse a su sobrino como consecuencia de las distintas actitudes que adopta hacia él a lo largo del diálogo.

DON CARLOS

En el mesón de afuera.

DON DIEGO

¿Y no has salido de allí en toda la noche, eh?

DON CARLOS

Sí, señor, entré en la ciudad y...

DON DIEGO

¿A qué?... Siéntese usted.

DON CARLOS

Tenía precisión de hablar con un sujeto... *(Siéntase.)*

DON DIEGO

¡Precisión!

DON CARLOS

Sí, señor... Le debo muchas atenciones, y no era posible volverme a Zaragoza sin estar primero con él.

DON DIEGO

Ya. En habiendo tantas obligaciones de por medio... Pero venirle a ver a las tres de la mañana me parece mucho desacuerdo...[46] ¿Por qué no le escribiste un papel?... Mira, aquí he de tener... Con este papel que le hubieras enviado en mejor ocasión no había necesidad de hacerle trasnochar ni mo-

---

[46] *desacuerdo:* 'desvarío, locura'.

194

lestar a nadie[47]. *(Dándole el papel que tiraron a la ventana. Don Carlos, luego que le reconoce, se le vuelve[48] y se levanta en ademán de irse.)*

DON CARLOS

Pues si todo lo sabe usted, ¿para qué me llama? ¿Por qué no me permite seguir mi camino y se evitaría una contestación de la cual ni usted ni yo quedaremos contentos?

DON DIEGO

Quiere saber su tío de usted lo que hay en esto, y quiere que usted se lo diga.

DON CARLOS

¿Para qué saber más?

DON DIEGO

Porque yo lo quiero y lo mando, ¡oiga![49]

DON CARLOS

Bien está.

DON DIEGO

Siéntate ahí... *(Siéntase don Carlos.)* ¿En dónde has conocido a esta niña?... ¿Qué amor es éste? ¿Qué circunstancias

---

[47] Don Diego comenta irónicamente, en un hábil golpe de efecto, las circunstancias de la disculpa de su sobrino *(las obligaciones de por medio,* lo inusitado de la hora) para aplicarlas a la situación que están viviendo (y en la que el joven desconoce que el tío está ya al corriente de todo): era él *el sujeto* al que don Carlos debiera haber enviado el escrito *en mejor ocasión.*

[48] *vuelve:* 'devuelve'.

[49] *¡oiga!:* 'caramba'.

han ocurrido?... ¿Qué obligaciones hay entre los dos?[50] ¿Dónde, cuándo la viste?

DON CARLOS

Volviéndome a Zaragoza el año pasado, llegué a Guadalajara sin ánimo de detenerme, pero el intendente, en cuya casa de campo nos apeamos, se empeñó en que había de quedarme allí todo aquel día por ser cumpleaños de su parienta[51], prometiéndome que al siguiente me dejaría proseguir mi viaje. Entre las gentes convidadas hallé a doña Paquita, a quien la señora había sacado aquel día del convento para que se esparciese un poco... Yo no sé qué vi en ella que excitó en mí una inquietud, un deseo constante, irresistible, de mirarla, de oírla, de hallarme a su lado, de hablar con ella, de hacerme agradable a sus ojos... El intendente dijo entre otras cosas..., burlándose..., que yo era muy enamorado, y le ocurrió fingir que me llamaba don Félix de Toledo[52]. Yo sostuve esa ficción, porque desde luego[53] concebí la idea de permanecer algún tiempo en aquella ciudad, evitando que llegase a noticia de usted... Observé que doña Paquita me trató con un agrado particular y, cuando por la noche nos separamos, yo quedé lleno de vanidad y de esperanzas, viéndome preferido a todos los concurrentes de aquel día, que fueron muchos. En fin... Pero no quisiera ofender a usted refiriéndole...

DON DIEGO

Prosigue...[54]

---

[50] *obligaciones:* 'compromisos'.

[51] *parienta:* 'esposa'.

[52] En las ediciones de 1805 y 1806 se añadía: «nombre que dio Calderón a algunos amantes en sus comedias.» La supresión de esta frase por Moratín en la edición de 1825 puede explicarse por las críticas a que dio lugar al entenderla como un ataque a los autores clásicos españoles. El nombre de don Félix de Toledo había aparecido en *Antes que todo es mi dama*, *Los empeños de un acaso* y *También hay duelo en las damas*.

[53] *desde luego:* 'desde aquel momento'.

[54] Las breves interrupciones de don Diego sirven para dividir un parlamento excesivamente extenso.

Supe que era hija de una señora de Madrid, viuda y pobre, pero de gente muy honrada... Fue necesario fiar de mi amigo los proyectos de amor que me obligaban a quedarme en su compañía; y él, sin aplaudirlos ni desaprobarlos, halló disculpas las más ingeniosas para que ninguno de su familia extrañara mi detención. Como su casa de campo está inmediata a la ciudad, fácilmente iba y venía de noche... Logré que doña Paquita leyese algunas cartas mías; y con las pocas respuestas que de ella tuve, acabé de precipitarme en una pasión que mientras viva me hará infeliz.

Don Diego

Vaya... Vamos, sigue adelante.

Don Carlos

Mi asistente (que, como usted sabe, es hombre de travesura[55] y conoce el mundo), con mil artificios que a cada paso le ocurrían, facilitó los muchos estorbos que al principio hallábamos... La seña era dar tres palmadas, a las cuales respondían con otras tres desde una ventanilla que daba al corral de las monjas[56]. Hablábamos todas las noches, muy a deshora, con el recato y las precauciones que ya se dejan entender... Siempre fui para ella don Félix de Toledo, oficial de un regimiento, estimado de mis jefes y hombre de honor. Nunca la dije más, ni la hablé de mis parientes, ni de mis esperanzas, ni la di a entender que casándose conmigo podía aspirar a mejor fortuna, porque ni me convenía nombrarle a usted, ni quise exponerla a que las miras de interés y no el amor la inclinasen a favorecerme. De cada vez la hallé más fina[57], más hermosa, más digna de ser adorada... Cerca de tres meses me detuve allí; pero al fin era necesario separarnos, y una noche funesta

---

[55] *travesura:* 'picardía'.
[56] *corral:* 'patio cerrado'.
[57] *fina:* 'pura, carente de imperfecciones'.

me despedí, la dejé rendida a un desmayo mortal y me fui, ciego de amor, adonde mi obligación me llamaba... Sus cartas consolaron por algún tiempo mi ausencia triste, y en una que recibí pocos días ha me dijo cómo su madre trataba de casarla, que primero perdería la vida que dar su mano a otro que a mí, me acordaba mis juramentos[58], me exhortaba a cumplirlos... Monté a caballo, corrí precipitado el camino, llegué a Guadalajara, no la encontré, vine aquí... Lo demás bien lo sabe usted, no hay para qué decírselo.

Don Diego

¿Y qué proyectos eran los tuyos en esta venida?

Don Carlos

Consolarla, jurarla de nuevo un eterno amor, pasar a Madrid, verle a usted, echarme a sus pies, referirle todo lo ocurrido y pedirle, no riquezas, ni herencias, ni protecciones, ni... eso no... Sólo su consentimiento y su bendición para verificar un enlace tan suspirado, en que ella y yo fundábamos toda nuestra felicidad.

Don Diego

Pues ya ves, Carlos, que es tiempo de pensar muy de otra manera.

Don Carlos

Sí, señor.

Don Diego

Si tú la quieres, yo la quiero también[59]. Su madre y toda su familia aplauden este casamiento. Ella..., y sean las que fueren

---

[58] *me acordaba*: 'me recordaba'.
[59] La actitud de don Diego es una pose para probar a su sobrino, aumentando la tensión dramática. En realidad, ha renunciado al proyectado matri-

las promesas que a ti te hizo..., ella misma no ha media hora me ha dicho que está pronta a obedecer a su madre y darme la mano, así que...

DON CARLOS

Pero no el corazón. *(Levántase)*[60]

DON DIEGO

¿Qué dices?

DON CARLOS

No, eso no... Sería ofenderla...[61] Usted celebrará sus bodas cuando guste; ella se portará siempre como conviene a su honestidad y a su virtud; pero yo he sido el primero, el único objeto de su cariño, lo soy y lo seré... Usted se llamará su marido, pero si alguna o muchas veces la sorprende y ve sus ojos hermosos inundados en lágrimas, por mí las vierte...[62] No la pregunte usted jamás el motivo de sus melancolías... Yo, yo seré la causa... Los suspiros que en vano procurará reprimir serán finezas dirigidas a un amigo ausente[63].

DON DIEGO

¿Qué temeridad es ésta? *(Se levanta con mucho enojo, encaminándose hacia don Carlos, que se va retirando.)*

---

monio desde que leyó la carta a Paquita y lo que pretende es conocer los verdaderos sentimientos de los jóvenes. No lo consigue con Paquita, por culpa de la educación recibida, en cambio, don Carlos se manifiesta con absoluta franqueza, fruto de una diversa educación.

[60] La muestra de pasión de don Carlos subrayará el valor de la renuncia (Casalduero, 1957: 54).

[61] Aunque no se nombra, don Carlos niega la infidelidad que queda sugerida en la pregunta-reproche de su tío. La *virtud* de la joven, como la de Isabel en *El viejo y la niña,* queda fuera de duda.

[62] Esa situación de infelicidad es la de *El viejo y la niña.* Allí don Juan se imagina algo semejante a lo que don Carlos refiere a su tío: «Quiéreme bien, piensa en mí, / tal vez hallará consuelo / mi dolor cuando imagine / que de la hermosa que pierdo / alguna lágrima, algún / tierno suspiro merezco» (II, 11).

[63] *finezas:* 'manifestaciones de amor'.

DON CARLOS

Ya se lo dije a usted... Era imposible que yo hablase una palabra sin ofenderle... Pero acabemos esta odiosa conversación... Viva usted feliz y no me aborrezca, que yo en nada le he querido disgustar... La prueba mayor que yo puedo darle de mi obediencia y mi respeto es la de salir de aquí inmediatamente... Pero no se me niegue a lo menos el consuelo de saber que usted me perdona.

DON DIEGO

¿Conque, en efecto, te vas?

DON CARLOS

Al instante, señor... Y esta ausencia será bien larga.

DON DIEGO

¿Por qué?

DON CARLOS

Porque no me conviene verla en mi vida... Si las voces que corren de una próxima guerra se llegaran a verificar...[64] Entonces...

DON DIEGO

¿Qué quieres decir? *(Asiendo de un brazo a don Carlos le hace venir más adelante.)*

DON CARLOS

Nada... Que apetezco la guerra porque soy soldado.

---

[64] No hay referencia a ningún conflicto, sino la confidencia de don Carlos de buscar la muerte, un suicidio atenuado.

DON DIEGO

¡Carlos!... ¡Qué horror!... ¿Y tienes corazón para decírmelo?

DON CARLOS

Alguien viene... *(Mirando con inquietud hacia el cuarto de doña Irene se desprende de don Diego y hace que se va por la puerta del foro. Don Diego va detrás de él y quiere detenerle.)* Tal vez será ella... Quede usted con Dios.

DON DIEGO

¿Adónde vas?... No señor, no has de irte.

DON CARLOS

Es preciso... Yo no he de verla... Una sola mirada nuestra pudiera causarle a usted inquietudes crueles.

DON DIEGO

Ya he dicho que no ha de ser... Entra en ese cuarto.

may not marry

DON CARLOS

Pero si...

DON DIEGO

Haz lo que te mando. *(Éntrase don Carlos en el cuarto de don Diego.)*

ESCENA XI

DOÑA IRENE, DON DIEGO

DOÑA IRENE

Conque, señor don Diego, ¿es ya la de vámonos?...[65] Buenos días... *(Apaga la luz que está sobre la mesa.)* ¿Reza usted?

DON DIEGO

(Paseándose con inquietud.) Sí, para rezar estoy ahora.

DOÑA IRENE

Si usted quiere, ya pueden ir disponiendo el chocolate, y que avisen al mayoral para que enganchen luego que...[66] Pero ¿qué tiene usted, señor?... ¿Hay alguna novedad?

DON DIEGO

Sí, no deja de haber novedades.

DOÑA IRENE

Pues ¿qué?... Dígalo usted, por Dios... ¡Vaya, vaya!... No sabe usted lo asustada que estoy... Cualquiera cosa, así, repentina, me remueve toda y me... Desde el último mal parto que tuve, quedé tan sumamente delicada de los nervios... Y va ya para diez y nueve años, si no son veinte; pero desde entonces, ya digo, cualquiera friolera me trastorna...[67] Ni los baños, ni

---

[65] 'la hora de marchar'.
[66] *luego que:* 'en seguida que'.
[67] *friolera:* 'cosa de poca importancia'.

202

caldos de culebra, ni la conserva de tamarindos; nada me ha servido; de manera que...[68]

DON DIEGO

Vamos, ahora no hablemos de malos partos ni de conservas... Hay otra cosa más importante de que tratar... ¿Qué hacen esas muchachas?

DOÑA IRENE

Están recogiendo la ropa y haciendo el cofre para que todo esté a la vela y no haya detención[69].

DON DIEGO

Muy bien. Siéntese usted... Y no hay que asustarse ni alborotarse *(Siéntanse los dos)* por nada de lo que yo diga; y cuenta[70], no nos abandone el juicio cuando más le necesitamos... Su hija de usted está enamorada...

DOÑA IRENE

¿Pues no lo he dicho ya mil veces? Sí señor que lo está, y bastaba que yo lo dijese para que...

DON DIEGO

¡Este vicio maldito de interrumpir a cada paso!... Déjeme usted hablar.

---

[68] Remedios populares de los que Moratín se burla en carta al esposo de la actriz que representó a doña Irene, que padecía los mismos males: «Cuídela usted y distráigala de sus melancolías y aun, si fuere necesario, hágala creer que los caldos de culebra y la conserva de tamarindos la pondrán como nueva, que, si ella lograse creerlo, sin duda se pondría mejor» *(Epistolario*, pág. 315).

[69] *a la vela:* 'dispuesto'; *detención:* 'espera, dilación'.

[70] *y cuenta:* 'y atención', variante de la frase proverbial «cuenta y razón».

DOÑA IRENE

Bien, vamos, hable usted.

DON DIEGO

Está enamorada, pero no está enamorada de mí.

DOÑA IRENE

¿Qué dice usted?

DON DIEGO

Lo que usted oye.

DOÑA IRENE

¿Pero quién le ha contado a usted esos disparates?

DON DIEGO

Nadie. Yo lo sé, yo lo he visto, nadie me lo ha contado, y cuando se lo digo a usted, bien seguro estoy de que es verdad... Vaya, ¿qué llanto es ése?

DOÑA IRENE

¡Pobre de mí! *(Llora.)*

DON DIEGO

¿A qué viene eso?

DOÑA IRENE

¡Porque me ven sola y sin medios, y porque soy una pobre viuda, parece que todos me desprecian y se conjuran contra mí!

DON DIEGO

Señora doña Irene...

DOÑA IRENE

Al cabo de mis años y de mis achaques, verme tratada de esta manera, como un estropajo, como una puerca cenicienta, vamos al decir... ¿Quién lo creyera de usted?... ¡Válgame Dios!... ¡Si vivieran mis tres difuntos!... Con el último difunto que me viviera, que tenía un genio como una serpiente...

DON DIEGO

Mire usted, señora, que se me acaba ya la paciencia.

DOÑA IRENE

Que lo mismo era replicarle que se ponía hecho una furia del infierno, y un día del Corpus, yo no sé por qué friolera, hartó de mojicones a un comisario ordenador[71], y si no hubiera sido por dos padres del Carmen que se pusieron de por medio, le estrella contra un poste en los portales de Santa Cruz[72].

DON DIEGO

¿Pero es posible que no ha de atender usted a lo que voy a decirla?

DOÑA IRENE

¡Ay, no señor! que bien lo sé, que no tengo pelo de tonta, no señor... Usted ya no quiere a la niña y busca pretextos para

---

[71] *hartó de mojicones:* 'llenó de bofetadas'; *comisario ordenador:* 'en el ejército, el que transmite órdenes a los comisarios o ayudantes del intendente'.
[72] En la calle de Atocha, cerca de la plaza Mayor. Se ha señalado la semejanza del carácter del último marido de doña Irene con el padre de Paquita Muñoz.

zafarse de la obligación en que está... ¡Hija mía de mi alma y de mi corazón!

DON DIEGO

Señora doña Irene, hágame usted el gusto de oírme, de no replicarme, de no decir despropósitos, y luego que usted sepa lo que hay, llore y gima, y grite y diga cuanto quiera... Pero, entretanto, no me apure usted el sufrimiento, por el amor de Dios.

DOÑA IRENE

Diga usted lo que le dé la gana.

DON DIEGO

Que no volvamos otra vez a llorar y a...

DOÑA IRENE

No señor, ya no lloro. *(Enjugándose las lágrimas con un pañuelo.)*

DON DIEGO

Pues hace ya cosa de un año, poco más o menos, que doña Paquita tiene otro amante. Se han hablado muchas veces, se han escrito, se han prometido amor, fidelidad, constancia... Y, por último, existe en ambos una pasión tan fina que las dificultades y la ausencia, lejos de disminuirla, han contribuido eficazmente a hacerla mayor. En este supuesto...

DOÑA IRENE

¿Pero no conoce usted, señor, que todo es un chisme inventado por alguna mala lengua que no nos quiere bien?

206

DON DIEGO

Volvemos otra vez a lo mismo... No señora, no es chisme. Repito de nuevo que lo sé.

DOÑA IRENE

¿Qué ha de saber usted, señor, ni qué traza tiene eso de verdad? ¡Conque la hija de mis entrañas, encerrada en un convento, ayunando los siete reviernes[73], acompañada de aquellas santas religiosas! ¡Ella, que no sabe lo que es mundo, que no ha salido todavía del cascarón como quien dice!... Bien se conoce que no sabe usted el genio que tiene Circuncisión... Pues bonita es ella para haber disimulado a su sobrina el menor desliz[74].

DON DIEGO

Aquí no se trata de ningún desliz, señora doña Irene; se trata de una inclinación honesta, de la cual hasta ahora no habíamos tenido antecedente alguno. Su hija de usted es una niña muy honrada y no es capaz de deslizarse... Lo que digo es que la madre Circuncisión, y la Soledad, y la Candelaria, y todas las madres, y usted, y yo el primero, nos hemos equivocado solemnemente. La muchacha se quiere casar con otro y no conmigo... Hemos llegado tarde; usted ha contado muy de ligero con la voluntad de su hija... Vaya, ¿para qué es cansarnos? Lea usted ese papel y verá si tengo razón. *(Saca el papel de don Carlos y se le da a doña Irene. Ella, sin leerle, se levanta muy agitada, se acerca a la puerta de su cuarto y llama. Levántase don Diego y procura en vano contenerla.)*

DOÑA IRENE

¡Yo he de volverme loca!... ¡Francisquita!... ¡Virgen del Tremedal!... ¡Rita! ¡Francisca!

---

[73] Los siete viernes que siguen a la Pascua de Resurrección.
[74] *desliz:* 'deshonestidad'.

DON DIEGO

Pero ¿a qué es llamarlas?

DOÑA IRENE

Sí señor, que quiero que venga y que se desengañe la pobrecita de quién es usted.

DON DIEGO

Lo echó todo a rodar... Esto le sucede a quien se fía de la prudencia de una mujer.

ESCENA XII

DOÑA FRANCISCA, RITA, DOÑA IRENE, DON DIEGO

RITA

Señora.

DOÑA FRANCISCA

¿Me llamaba usted?

DOÑA IRENE

Sí, hija, sí; porque el señor don Diego nos trata de un modo que ya no se puede aguantar. ¿Qué amores tienes, niña? ¿A quién has dado palabra de matrimonio? ¿Qué enredos son éstos?... Y tú, picarona... Pues tú también lo has de saber... Por fuerza lo sabes... ¿Quién ha escrito este papel? ¿Qué dice? *(Presentando el papel abierto a doña Francisca.)*

Rita

(Aparte, a doña Francisca.) Su letra es.

Doña Francisca

¡Qué maldad!... Señor don Diego, ¿así cumple usted su palabra?

Don Diego

Bien sabe Dios que no tengo la culpa... Venga usted aquí. *(Tomando de una mano a doña Francisca, la pone a su lado.)* No hay que temer... Y usted, señora, escuche y calle, y no me ponga en términos de hacer un desatino... Deme usted ese papel... *(Quitándola el papel.)* Paquita, ya se acuerda usted de las tres palmadas de esta noche.

Doña Francisca

Mientras viva me acordaré.

Don Diego

Pues éste es el papel que tiraron a la ventana... No hay que asustarse, ya lo he dicho. *(Lee.)* «Bien mío: si no consigo hablar con usted, haré lo posible para que llegue a sus manos esta carta. Apenas me separé de usted, encontré en la posada al que yo llamaba mi enemigo y, al verle, no sé cómo no expiré de dolor. Me mandó que saliera inmediatamente de la ciudad y fue preciso obedecerle. Yo me llamo don Carlos, no don Félix... Don Diego es mi tío. Viva usted dichosa y olvide para siempre a su infeliz amigo.— Carlos de Urbina».

Doña Irene

¿Conque hay eso?

DOÑA FRANCISCA

¡Triste de mí!

DOÑA IRENE

¿Conque es verdad lo que decía el señor, grandísima pica-rona? Te has de acordar de mí. *(Se encamina hacia doña Francisca muy colérica y en ademán de querer maltratarla. Rita y don Diego lo estorban.)*

DOÑA FRANCISCA

¡Madre!... ¡Perdón!

DOÑA IRENE

No señor, que la he de matar.

DON DIEGO

¿Qué locura es ésta?

DOÑA IRENE

He de matarla.

ESCENA XIII

Don Carlos, Don Diego, Doña Irene, Doña Francisca, Rita

(Sale don Carlos del cuarto precipitadamente; coge de un brazo a doña Francisca, se la lleva hacia el fondo del teatro y se pone delante de ella para defenderla. Doña Irene se asusta y se retira.)

Don Carlos

Eso no... Delante de mí nadie ha de ofenderla[75].

Doña Francisca

¡Carlos!

Don Carlos

(A don Diego.) Disimule usted mi atrevimiento...[76] He visto que la insultaban y no me he sabido contener.

Doña Irene

¿Qué es lo que me sucede, Dios mío? ¿Quién es usted?... ¿Qué acciones son éstas?... ¿Qué escándalo...?

Don Diego

Aquí no hay escándalos... Ése es de quien su hija de usted está enamorada... Separarlos y matarlos viene a ser lo mismo... Carlos... No importa... Abraza a tu mujer. *(Se abra-*

---

[75] *ofenderla:* 'agredirla', físicamente.
[76] *disimule:* 'tolere, permita'.

211

zan don Carlos y doña Francisca, y después se arrodillan a los pies de don Diego.)

Doña Irene

¿Conque su sobrino de usted?...[77].

Don Diego

Sí señora, mi sobrino, que con sus palmadas y su música y su papel me ha dado la noche más terrible que he tenido en mi vida... ¿Qué es esto, hijos míos, qué es esto?

Doña Francisca

¿Conque usted nos perdona y nos hace felices?

Don Diego

Sí, prendas de mi alma... Sí. *(Los hace levantar con expresión de ternura.)*

Doña Irene

¿Y es posible que usted se determina a hacer un sacrificio?...

Don Diego

Yo pude separarlos para siempre y gozar tranquilamente la posesión de esta niña amable, pero mi conciencia no lo sufre... ¡Carlos!... ¡Paquita! ¡Qué dolorosa impresión me deja en el alma el esfuerzo que acabo de hacer!... Porque, al fin, soy hombre miserable y débil[78].

---

[77] La pregunta de doña Irene revela por dónde va su preocupación: el beneficio económico del enlace se mantiene.

[78] Al expresar el dolor que produce, se resalta el valor de la renuncia, adoptada sin titubeos desde el momento en que conoce el amor de los jóvenes.

DON CARLOS

Si nuestro amor *(Besándole las manos)*, si nuestro agradecimiento pueden bastar a consolar a usted en tanta pérdida...

DOÑA IRENE

¡Conque el bueno de don Carlos! Vaya que...

DON DIEGO

Él y su hija de usted estaban locos de amor, mientras usted y las tías fundaban castillos en el aire y me llenaban la cabeza de ilusiones que han desaparecido como un sueño... Esto resulta del abuso de autoridad, de la opresión que la juventud padece, éstas son las seguridades que dan los padres y los tutores, y esto lo que se debe fiar en el sí de las niñas...[79] Por una casualidad he sabido a tiempo el error en que estaba... ¡Ay de aquellos que lo saben tarde!

DOÑA IRENE

En fin, Dios los haga buenos, y que por muchos años se gocen... Venga usted acá, señor, venga usted, que quiero abrazarle. *(Abrazando a don Carlos, doña Francisca se arrodilla y besa la mano de su madre.)* Hija, Francisquita. ¡Vaya! Buena elección has tenido... Cierto que es un mozo muy galán...[80] Morenillo, pero tiene un mirar de ojos muy hechicero.

RITA

Sí, dígaselo usted, que no lo ha reparado la niña... Señorita, un millón de besos. *(Se besan doña Francisca y Rita)*[81]

---

[79] La cita del título de la obra al final de la misma era frecuente en la comedia barroca.

[80] *galán:* 'agraciado'.

[81] La absoluta novedad teatral de este beso entre señora y criada, aparte de su verosimilitud (en una sociedad en la que existía una aparente familiaridad

Doña Francisca

Pero ¿ves qué alegría tan grande?... ¡Y tú, como me quieres tanto!... Siempre, siempre serás mi amiga[82].

Don Diego

Paquita hermosa *(Abraza a doña Francisca),* recibe los primeros abrazos de tu nuevo padre... No temo ya la soledad terrible que amenazaba a mi vejez... Vosotros *(Asiendo de las manos a doña Francisca y a don Carlos)* seréis la delicia de mi corazón; y el primer fruto de vuestro amor... sí, hijos, aquél... no hay remedio, aquél es para mí. Y cuando le acaricie en mis brazos podré decir: a mí me debe su existencia este niño inocente; si sus padres viven[83], si son felices, yo he sido la causa.

Don Carlos

¡Bendita sea tanta bondad!

Don Diego

Hijos, bendita sea la de Dios.

---

entre las clases sociales), refleja la armonía familiar, doméstica y social con que concluye la obra, manifestada también en los signos gestuales del afecto (Sala Valldaura, 2001)

[82] La amistad de Rita sustituye, en cierto modo, a la madre despótica y arbitraria, ocupando la criada un lugar inédito en la comedia del Siglo de Oro (Pérez Magallón, 1994: 251 n.).

[83] En referencia al riesgo de lo que hubiera podido pasar si don Diego se hubiera dejado dominar, como doña Irene, por intereses egoístas: la muerte como consecuencia de la separación de los jóvenes ha sobrevolado varios momentos de la obra (y cuya formulación más explícita ha sido su búsqueda por parte de don Carlos y la muerte social y familiar —como Isabel en *El viejo y la niña*— si Paquita hubiera ingresado en un convento).

Colección Letras Hispánicas

DE PRÓXIMA APARICIÓN